Reading & Interpretation
大家写小书·马恩经典著作新读

丛书主编 董振华

国家问题上的最高成就

《法兰西内战》新读

袁久红 著

红旗出版社

图书在版编目(CIP)数据

国家问题上的最高成就 ：《法兰西内战》新读 / 袁久红著. —北京 ：红旗出版社，2022.3
(大家写小书 / 董振华主编. 马恩经典著作新读)
ISBN 978-7-5051-5145-1

Ⅰ.①国… Ⅱ.①袁… Ⅲ.①《法兰西内战》-马克思著作研究 Ⅳ.①A811.23

中国版本图书馆CIP数据核字(2021)第217685号

书　　名　国家问题上的最高成就
《法兰西内战》新读
著　　者　袁久红

责任编辑	吕丹妮	丛书统筹	丁　鋆
责任印务	金　硕	装帧设计	戴　影
责任检校	沈云才		
出版发行	红旗出版社		
地　　址	北京市沙滩北街2号	邮政编码	100727
	杭州市体育场路178号	邮政编码	310039
编 辑 部	0571-85310806		
E - mail	rucdj@163.com	发 行 部	0571-85311330
图文排版	杭州兴邦电子印务有限公司		
印　　刷	杭州广育多莉印刷有限公司		
开　　本	889毫米×1194毫米	1/32	
字　　数	69千字	印　　张	3
版　　次	2022年3月第1版	印　　次	2022年3月第1次印刷
ISBN 978-7-5051-5145-1		定　　价	20.00元

把读马克思主义经典当作生活习惯

（丛书序）

习近平总书记在纪念马克思诞辰200周年大会上的讲话中强调："共产党人要把读马克思主义经典、悟马克思主义原理当作一种生活习惯、当作一种精神追求，用经典涵养正气、淬炼思想、升华境界、指导实践。"阅读马克思主义经典著作对于广大党员干部树立正确的世界观、人生观和价值观，从而以科学的世界观和方法论分析问题、解决问题和推动工作，具有重大的意义。

一、通过阅读马克思主义经典，感悟马克思主义经典作家的崇高价值追求，不断升华思想境界

人的自然生命总是有限的，作为自然的人，历史上的伟人不可能再对我们耳提面命，但是，他们的灵魂不朽，作为我们的精神导师，他们可以穿越时空对我们谆谆教诲。我们和伟人对话的方式，就是阅读他们撰写的经典，去感悟经典中所承载的不朽灵魂和伟大人格。马克思主义经典作家虽然已经远去，但是他们的精神和思想是不朽的，通过他们所创造的事业而生生不息，通过他们的经典著作而天长地久。正如《道德经》所言："不失其所者久，死而不亡者寿。"我们通过反复阅读马克思主义经典作家留下的经典著作，和他们心灵共鸣、灵魂

共振，接受马克思主义智慧和道义的滋养，不断升华思想境界，走向崇高，活出生命的意义和价值。

马克思主义经典作家作为人类解放的“盗火者”，为了给人类带来光明，历尽千辛万苦，仍然不屈不挠，奋斗不息，成就了伟大的人生。马克思在参加中学毕业考试的时候写下的作文《青年在选择职业时的考虑》中指出：“如果我们选择了最能为人类而工作的职业，那么，重担就不能把我们压倒，因为这是为大家作出的牺牲；那时我们所享受的就不是可怜的、有限的、自私的乐趣，我们的幸福将属于千百万人，我们的事业将悄然无声地存在下去，但是它会永远发挥作用，而面对我们的骨灰，高尚的人们将洒下热泪。”[①]从马克思的这篇作文中，我们可以强烈地感受到他伟大的人格和崇高的价值追求，能够明白什么样的生命才是有意义和价值的，才能够坚定理想信念，升华精神境界。马克思的生命实践充分彰显了伟人的灵魂和精神价值，也成就了马克思光辉的人生，受到了人们的普遍敬仰和尊敬。

正如习近平总书记在纪念马克思诞辰200周年大会上的讲话中所指出的：“马克思的一生，是胸怀崇高理想、为人类解放不懈奋斗的一生。”“马克思一生饱尝颠沛流离的艰辛、贫病交加的煎熬，但他初心不改、矢志不渝，为人类解放的崇高理想而不懈奋斗，成就了伟大人生。”

---

①《马克思恩格斯全集》第1卷，人民出版社1995年版，第459—460页。

二、通过阅读马克思主义经典，学习马克思主义经典严谨的论证逻辑，掌握科学思想方法

一个理论如果缺乏严密的逻辑论证，要么是停留于空洞无物的无病呻吟，要么是停留于盲目自大的独断空论，这是苍白无力的，是不能够让人真服、真信的。我们通过阅读马克思主义经典，可以得出这样的深切感受：他们不是高高在上向人们颁布真理，而是通过铁的逻辑一步步严谨论证，最终的结论是自然而然在字里行间得出并呈现给读者，从而能够说服人、打动人、鼓舞人，让人们真懂、真信、真用，这是逻辑的力量！

我们阅读《共产党宣言》就能够强烈感受到这种逻辑的力量。马克思、恩格斯站在历史唯物主义的客观立场，对资本主义及其繁荣的景象进行了绘声绘色的描绘，对资本主义制度的历史贡献和历史合理性进行了充分肯定。在充分肯定的基础上，却得出了彻底否定的结论。这里所运用的逻辑就是辩证法。根据辩证法的逻辑，“辩证法在对现存事物的肯定的理解中同时包含对现存事物的否定的理解”，资本主义造就了如此巨大的生产力，极大地推动了历史的发展和社会的进步，但是，这也恰恰是资本主义必然要退出历史舞台的内在原因。因此，资本主义的合理性只是历史的合理性，也就是说，这只是有一定的前提和界限的合理性，只是在人类历史进程中的某一阶段具有合理性，超过了这个阶段必然丧失合理性。为此，《共产党宣言》指出：“资产阶级用来推翻封建制度的武器，

现在却对准资产阶级自己了。”[1]“资产阶级的关系已经太狭窄了，再容纳不了它本身所造成的财富了。”[2]因此，资本主义和资产阶级应该灭亡了，也必然会灭亡，“资产阶级的灭亡和无产阶级的胜利是同样不可避免的”[3]。资本主义必然灭亡，但是，这并不意味着它会自动灭亡，“共产党人不屑于隐瞒自己的观点和意图。他们公开宣布：他们的目的只有用暴力推翻全部现存的社会制度才能达到”[4]。

由此我们可以看到，无产阶级必须通过革命手段实现人类解放的根本价值追求，这一科学结论不正是在辩证法严密逻辑的基础上经过充分论证而得出来的吗？我们阅读马克思主义经典，就要学习这样的科学思想方法，在理论宣传和群众工作中力求做到言之有理、持之有故、以理服人，才能够让人们真信、真服，从而用科学的理论和崇高的价值说服人、凝聚人。

三、通过阅读马克思主义经典，体悟马克思主义经典蕴含的强烈问题意识，善于聆听时代声音

马克思主义经典作家撰写著作，并不是为了学术上的建树和理论上的兴趣，而是为了人类解放这一根本价值主题，针对时代问题而撰写的，因此，马克思主义经典著作蕴含着深刻的问题意识。我们阅读马克思主义经典著作，就必须深入到

---

①《共产党宣言》，人民出版社2018年版，第34页。
②《共产党宣言》，人民出版社2018年版，第33页。
③《共产党宣言》，人民出版社2018年版，第40页。
④《共产党宣言》，人民出版社2018年版，第65页。

这些著作撰写时的历史语境中，用强烈的问题意识把握这些经典著作所针对的时代问题，否则就容易陷入教条主义，至多成为一个只会夸夸其谈的“理论家”。

每个时代都有属于自己的时代问题，牢牢抓住这个时代问题，用强烈的问题意识准确地把握时代问题的本质，并找到解决时代问题的价值选择和理性方法，这是马克思主义经典作家在进行经典创作时的出发点。我们在阅读马克思主义经典的时候，应当通过回到当时的时代语境，进行视界融合，体悟当时人类现实生活的生存境遇、价值诉求等层面凸显出来的矛盾与问题，去学习马克思主义经典作家对这些时代问题进行深度研究、审视与批判所运用的逻辑和方法，映照当今的时代问题，从而得到启发和方向。

各级领导干部阅读马克思主义经典著作要在思想与时代问题的互动对话中完成，就必须把握时代脉搏，强化问题意识，正确审视当代社会发展中的问题与困境。马克思主义的基本原理为我们的实践活动提供了总的指导思想、根本原则和根本方法，但是，它没有提供解决问题的现成答案，必须由我们自己在坚持马克思主义立场、观点、方法的基础上，创造性地探索和解决这些问题。

毋庸置疑，广大党员干部对于阅读马克思主义经典的重要性基本形成了一种共识，但是面对纷繁复杂的社会环境、繁杂繁重的日常工作以及浩如烟海的经典著作，党员干部如何才能亲近经典、深入经典、融入经典呢？本着“学马列要精，要管用”的原则，丛书第一辑我们选定了10本经典著作，由红旗文稿杂志社顾保国社长主编，组织国内著名高校的权威专家进行精心解读，出版之后社会反响强烈，不断收到读者反馈，要求我们继续编撰出版相关著作；丛书还入选了国家新闻出版署组织实施的2020年“优秀通俗理论读物出版工程”。这既是对我们工作的肯定和鼓励，也是对我们的鞭策和激励，更是我们理论工作者义不容辞的责任和使命。正是基于这样的考虑，我们在第一辑的基础上，秉持同样的理念又选定了10本经典著作，组织权威专家进行解读，并由红旗出版社编辑出版“大家写小书·马恩经典著作新读”第二辑，希望为马克思主义大众化作一点力所能及的贡献，不辜负大家的期望和伟大的时代。必须实事求是地指出，马克思主义经典著作内容博大精深，而我们对其的学习和领悟只能是冰山一角、高山仰止。鉴于我们的学术水平和认知能力有限，肯定存在解读不准确甚至错误的地方，敬请各位读者不吝指正！

中共中央党校（国家行政学院）
哲学教研部副主任、教授　董振华

2021年10月

目　录

前　言

《法兰西内战》是马克思基于1871年巴黎公社革命历程及经验，阐发马克思主义关于无产阶级革命、无产阶级国家、无产阶级专政和无产阶级政党学说的重要著作。

巴黎公社是人类历史第一次建立无产阶级政权的伟大尝试。虽然巴黎公社存续72天后便宣告失败，但其成立依然是国际共产主义运动中的里程碑式事件。在巴黎公社失败两天后，马克思便向国际工人协会总委员会宣读了《法兰西内战》。在这部著作中，马克思主要论述了四部分内容：一是揭露了当时资产阶级国家政权的阶级本质，即在国防政府领导下的法兰西第三共和国本质上依然是腐朽的、最低贱的及最后的帝国制度形式。二是真实记录了国防政府成立到巴黎公社失败的历史过程，揭示了巴黎公社的历史真相是资产阶级与无产阶级之间的尖锐斗争。三是揭示了巴黎公社的本质、原则与经验，巴黎公社作为法兰西第二帝国直接对立物，是工人阶级打碎旧的国家机器后的新型政权，它实质上是工人阶级的政府，是终于发现的可以使劳动在经济上获得解放的政治形式。四是总结了巴黎公社的伟大意义，即巴黎公社的成功充分彰显了工人阶级首创精神的伟大力量，虽然以失败告终，但公社的原则及历程为无产阶级革命的胜利积攒了经验，指明了方向。

这部著作的理论价值集中体现为马克思丰富和发展了其

国家学说。列宁曾评价《法兰西内战》中蕴含着“马克思主义在国家问题上的最高成就”①，这一最高成就可概括为：无产阶级必须打破旧的国家机器而代之以新型国家政权，这一新的政权应该是以消灭国家为最高目的的无产阶级国家。这部著作的实践价值体现为马克思提出了无产阶级革命运动及政权建设的基本原则。恩格斯评价马克思在这部著作中表现出“惊人的才能，即在伟大历史事变还在我们眼前展开或者刚刚终结时，就能准确地把握住这些事变的性质、意义及其必然后果”②。这表明，这部著作的伟大之处在于为无产阶级革命在各国的具体实践提供了把握性质及趋势的科学方法论指引。俄国十月革命的胜利和中国革命及建设的成功都深受这部著作的影响。如今，中国特色社会主义进入新时代，面对新的时代课题与任务，习近平总书记反复强调在创新发展中秉持科学社会主义原则的重要意义，“中国特色社会主义是社会主义而不是其他什么主义，科学社会主义基本原则不能丢，丢了就不是社会主义”③。科学社会主义基本原则深刻蕴含在公社的原则之中，正如马克思所言：“公社的原则是永存的，是消灭不了的。”④新时代研读《法兰西内战》，重温公社用“鲜血”得来的科学社会主义原则，对于我国推动国家治理体系和治理能力现代化，把握社会主义发展方向，彰显社会主义制度优势具有重要的现实意义。

---

① 列宁：《国家与革命》，人民出版社2015年版，第76页。

② 恩格斯：《恩格斯写的1891年版导言》，马克思：《法兰西内战》，人民出版社2018年版，第3页。

③ 习近平：《关于坚持和发展中国特色社会主义的几个问题》，《求是》2019年第7期，第5页。

④《马克思恩格斯文集》第3卷，人民出版社2009年版，第607页。

Reading & Interpretation
大家写小书·马恩经典著作新读

第一章

《法兰西内战》的写作背景

《法兰西内战》是马克思受国际工人协会总委员会委托就巴黎公社的革命壮举写的一篇告全体会员的宣言。马克思先写了这篇宣言的初稿和二稿，随后又写了定稿，并于1871年5月30日向国际工人协会总委员会宣读了定稿文本，获得一致通过。恩格斯在1891年为该著作德文第三版写的导言中指出："这一著作揭示了巴黎公社的历史意义，并且写得简洁有力而又那样尖锐鲜明，尤其是那样真实，是后来关于这个问题的全部浩繁文献都望尘莫及的。"[①]该著作也再次表明了马克思剖析历史事变的惊人才能，"即在伟大历史事变还在我们眼前展开或者刚刚终结时，就能准确地把握住这些事变的性质、意义及其必然后果"[②]。这本经典著作以事件史的方式叙述和分析了巴黎公社的革命进程和历史意义，总结了巴黎公社的经验，发展了马克思主义关于阶级斗争、无产阶级革命和无产阶级专政的学说，是"马克思主义在国家问题上的最高成就"[③]。

一、普法战争和法兰西第二帝国的覆灭

1848年法国资产阶级革命以后，资本主义相对稳定发展。路易-拿破仑·波拿巴，即拿破仑三世在其"拿破仑式的想法"影响下，于1851年12月2日发动政变，解散立法议会，建立资产阶级专制帝国，加速了法国资本主义的发展。1852年12

① 恩格斯：《恩格斯写的1891年版导言》，马克思：《法兰西内战》，人民出版社2018年版，第4—5页。

② 恩格斯：《恩格斯写的1891年版导言》，马克思：《法兰西内战》，人民出版社2018年版，第3页。

③ 列宁：《国家与革命》，人民出版社2015年版，第76页，

月2日，拿破仑三世倚靠没有直接卷入劳资斗争的农民阶级，复辟了帝制，建立了法兰西第二帝国。拿破仑三世以在工人面前保护资产阶级并反过来在资产阶级面前也保护工人为借口，夺去资本家手中的权力，便利了投机事业和工业活动。在第二帝国的统治下，资产阶级社会免除各种政治牵挂，得到高度发展，工业实现了工厂化生产，工商业大规模扩展，农业在采用机器生产和雇佣劳动的基础上发展迅猛。同时，交易所业务活动激增，大金融家、大工业家手里集中了法国大量的工业、运输和银行企业。到19世纪60年代末，法国成为工业总产量仅次于英国的第二大工业强国。随着资本主义的快速发展，资产者对工人的剥削日益加剧，造成法国工人阶级成分不断变化，工业无产阶级在巴黎逐渐成长起来。新兴工商业的集中化加剧了小资产阶级的破产，农民阶级分化也日益加剧。同时，资产阶级政府利用手中的权力设立庞大的官僚机构，并大肆搜刮民脂，千方百计谋取私利，鼓动金融诈骗，挥霍社会财富。有产阶级（包括金融寡头、大工商资产者、大土地占有者和富农上层等）越来越富有，工人阶级和农民的贫困化更为突出，法国国内阶级矛盾日益深化。为了稳定政权，第二帝国实行反动的内外政策：对内欺骗工人阶级和广大农民，疯狂镇压国内工人运动，实行极端残暴的反动统治；对外实行沙文主义，发起一连串殖民远征和掠夺性战争。19世纪60年代中后期，由于1866—1867年世界性资本主义经济危机的冲击，加之拿破仑三世对外扩张政策的连续失败，法国社会矛盾和阶级矛盾日益尖锐。与此同时，巴黎工人阶级正在第一国际的影响下日益觉醒，逐渐成长壮大起来。

1870年7月19日，法兰西第二帝国政府以西班牙王位纠纷问题为由狂妄地向普鲁士宣战，企图通过战争摆脱国内政治危机，扼杀日益高涨的工人革命运动，巩固摇摇欲坠的政权。马克思在《国际工人协会总委员会关于普法战争的第一篇宣言》中揭示了普法战争的性质，指出“不管路易·波拿巴同普鲁士的战争进程如何，第二帝国的丧钟已经在巴黎敲响了”[①]，并号召德法两国工人反对本国政府的侵略政策。相较于普鲁士已有的普遍义务兵役制度及周密的作战动员计划，第二帝国则缺乏严密的作战计划和充足有序的后勤保障，于7月底才在边境地区完成军队集结任务。虽然第二帝国首先发起进攻，拿到的是普鲁士地图，但可笑的是整个战争均在法兰西境内开展。由于缺乏有力的作战指导，法军连遭溃败。1870年9月2日，拿破仑三世在色当战役投降被俘。消息传到巴黎后，工人阶级和市民愤怒地走上街头，高呼“打倒帝制”。9月4日，巴黎工人和全体劳动群众游行示威，闯进波旁宫，占领市政厅，推翻了第二帝国，宣告成立了法兰西第三共和国。

这个借助工人阶级革命力量建立起来的法兰西第三共和国实质是资产阶级政府。马克思在《国际工人协会总委员会关于普法战争的第二篇宣言》中分析了这个政府的性质，指出：“这个政府不只是从帝国那里继承了一大堆残砖断瓦，而且还继承了它对工人阶级的恐惧。”[②]同时，马克思指出，这个号称是“国防政府”的资产阶级政府在民族义务和资产阶级利益二者发生矛盾的时候，没有片刻的犹豫便把自己变成了卖

---

① 马克思：《法兰西内战》，人民出版社2018年版，第19页。

② 马克思：《法兰西内战》，人民出版社2018年版，第31页。

国政府。色当战役以后，普鲁士军队很快入侵法国，占领法国北部的省份，兵临巴黎城下，把防御战争变成了侵略战争。巴黎人民在国际会员的组织下，组建了总人数约有30万、215个营的以工人为主体的国民自卫军。当普鲁士军队包围首都巴黎时，巴黎工人阶级奋起以革命武装保卫祖国，而这个“卖国政府”却伺机对工人阶级进行反革命镇压，疯狂地调兵遣将，并准备同普鲁士军队一起铲除巴黎革命。为了反对资产阶级的叛卖行为，巴黎人民于1870年10月31日和1871年1月22日分别举行起义，要求国防政府辞职，选举公社代替“卖国政府”。1871年1月28日，国防政府投降，与普鲁士签订《停战和巴黎投降协定》。1871年“2月16日，国防政府首脑梯也尔又与普鲁士草签了合约，企图以割让领土和巨额赔款为条件，换取普鲁士支持发动内战，解除巴黎工人的武装”[①]。1871年3月1日，国民议会开始讨论合约条款，并最终批准通过，再次激起巴黎人民的强烈反对。觉醒的巴黎人民意识到唯有采用暴力手段才能把腐朽至极的帝国政府推翻。1871年3月18日，巴黎人民举行武装起义，推翻了国防政府，在巴黎确立了自己的政权。

二、马克思和恩格斯对巴黎公社革命的关注

巴黎公社革命是法国工人阶级在国家危亡的紧急关头，迫不得已自发进行的一次起义，是法国无产阶级同资产阶级斗争激化的产物。虽然它不是在马克思主义政党领导下发起

① 马克思：《法兰西内战》，人民出版社2018年版，《编者引言》第2页。

的，但其历程自始至终得到马克思和恩格斯的关注，获得第一国际和各国工人阶级的支持，并深受第一国际的影响。

在普法战争爆发前，当时马克思主义在法国还没有广泛传播，马克思就曾致信恩格斯表明对当时法国社会主义思潮的担忧。法兰西第二帝国向普鲁士宣战的当天晚上，马克思受国际工人协会总委员会委托着手草拟对于普法战争的态度宣言，分析这场战争会给法、德两国带来的影响，指出对于法国而言，十八年的模仿丑剧即将结束；对于德国而言，这场战争有助于俾斯麦实现统一德意志的企图，但具有一定的反动性。同时，马克思高度赞扬法国工人和德国工人互济的举措，指出："同那个经济贫困和政治昏聩的旧社会相对立，正在诞生一个新社会，而这个新社会的国际原则将是和平，因为每一个民族都将有同一个统治者——劳动！"[①]恩格斯完全同意马克思的观点，积极分析普法战争，撰写战争评论，宣传无产阶级思想，和马克思一起指导这一时期的国际工人运动。

第二帝国溃败，法兰西第三共和国成立，即国防政府成立后，马克思通过关于普法战争的第二篇宣言，指出这个共和国是作为民族的防御措施宣告成立的，只是占据了王权的位子，忠告巴黎工人阶级应当认清这个政府的反动本质；并指出法国工人阶级的困难处境，告诫法国工人不要在时机尚未成熟时举行起义，"当敌人几乎已经在敲巴黎城门的时候，一切推

① 马克思：《法兰西内战》，人民出版社2018年版，第21—22页。

翻新政府的企图都将是绝望的蠢举"[1],希望法国工人阶级应该履行自己的公民职责,"唯愿他们镇静而且坚决地利用共和国的自由所提供的机会,去加强他们自己阶级的组织"[2],"去为法国的复兴和我们的共同事业即劳动解放的事业而斗争"[3]。同时,马克思和恩格斯号召全世界所有工人阶级积极反对普鲁士对于法国的侵略行径。

在巴黎工人觉醒,被迫发动革命,推翻国防政府反动政权后,马克思和恩格斯通过各种渠道和方式广泛搜集有关公社的资料,掌握事件的进程和方向。其中,马克思摘录了关于公社的报刊内容几十万字,并写下了关于公社战斗的大量札记。首先,马克思和恩格斯高度赞扬巴黎工人的革命热情,积极向公社委员提出宝贵意见,给予公社支持和指导,全力支持巴黎工人革命。从巴黎公社成立时起,马克思写了几百封信,寄给世界各地工人阶级支部,号召共同拥护巴黎公社。马克思在1871年4月12日致路德维希·库格曼的信中高度赞扬了巴黎工人阶级的历史主动性与自我牺牲精神。在1871年4月17日致库格曼的另一封信中再次阐明并充分肯定了巴黎公社革命的世界历史意义,认为:"工人阶级反对资本家阶级及其国家的斗争,由于巴黎的斗争而进入了一个新阶段。不管这件事情的直接结果怎样,具有世界历史意义的新起点毕竟是已经取得了。"[4]其次,马克思认真研究所得资料,发掘原始事实和数据,分析巴黎公社的真实情况,恢复公社的本质面目,

---

①②③ 马克思:《法兰西内战》,人民出版社2018年版,第32页。

④《马克思恩格斯文集》第10卷,人民出版社2009年版,第354页。

批评那些持片面观点看待公社、以通常尺度衡量公社、对公社的革命吹毛求疵的做法，强调巴黎公社的斗争与小资产阶级的示威游行具有完全不同的性质。第三，马克思和恩格斯也对巴黎公社的错误做法给予积极批评指正，指出由于巴黎公社的过分“仁慈”造成一些过错。一是在推翻国防政府、占领巴黎市中心的时候，巴黎公社没有立即向凡尔赛进攻而错失镇压反革命活动的良机，“当维努瓦和随后巴黎国民自卫军中的反动分子逃出巴黎的时候，本来是应该立刻向凡尔赛进军的。由于讲良心而把时机错过了。他们不愿意开始内战，好像那邪恶的小矮子梯也尔在企图解除巴黎武装时还没有开始内战似的”①。二是国民自卫军中央委员会过早放弃自己的权力让位给巴黎公社，巴黎工人阶级过早沉迷于选举等琐碎的事情上，浪费了斗争的宝贵时机。因此，马克思建议他们把那些能使凡尔赛的恶棍们声名狼藉的案卷寄到伦敦，以便发表对公社有利的文章。马克思和恩格斯关于巴黎公社的许多重要建议，为公社的伟大实践发挥了重要作用。

在巴黎公社惨遭血腥镇压失败后，欧洲各国资产阶级反动派疯狂诋毁、攻击国际工人协会和污蔑巴黎公社，把这个与资产阶级对立并且反对全世界资本阴谋的国际组织说成是灾难的总根源。梯也尔反动政府下令切断法国国际会员同国外会员之间的一切联系，并要求各国采取反对国际的统一行动。西班牙严禁一切国际支部活动，德意志和奥地利拘捕和审判国际工人协会成员。整个欧洲掀起一股针对国际工人协

①《马克思恩格斯文集》第10卷，人民出版社2009年版，第353页。

会总委员会的诽谤浪潮。同时，第一国际内部的机会主义者大肆鼓吹改良主义，以公社的失败否决暴力革命。一方面，马克思和恩格斯通过各种途径揭露凡尔赛政府卖国投降的暴力实质，驳斥凡尔赛反动势力和国际资产阶级对国际工人协会与巴黎公社的污蔑攻击，号召国际社会关心与支持巴黎公社。马克思和恩格斯在《泰晤士报》《真理报》等多种报刊上发表公开信声援巴黎公社，呼吁对巴黎公社和公社社员的保护。另一方面，马克思和恩格斯还积极组织成立公社流亡者救济委员会，广泛募集资金，并以身作则节衣缩食，倾囊相助，尽力解决公社流亡者的生活和就业困难。对于那些来不及逃离法国的公社社员，马克思和恩格斯想尽一切办法帮助他们安全离开法国。

知识链接

★ 第一国际 ★

国际工人协会又称第一国际，是无产阶级第一个国际性的革命联合会组织。马克思是它的实际领袖。国际工人协会的任务是组织和联合各国工人阶级的力量保卫工人阶级的利益，为工人阶级的解放而斗争，并积极支持欧美各国工人的革命斗争，支持各国工人反对资本家剥削压迫的罢工斗争。援助各国工人的罢工斗争成为国际工人协会总委员会经常讨论的议题。

三、为指导无产阶级革命与完善科学社会主义理论而作

马克思在总结1848年至1852年欧洲无产阶级与资产阶级斗争的经验时指出,法国资产阶级共和国是资产阶级对其他一切阶级实行全面专政的工具,无产阶级必须打碎旧的国家机器,建立无产阶级政治统治。1871年的巴黎公社进行了无产阶级专政的伟大尝试,为马克思和恩格斯研究无产阶级政党学说提供了实证材料,为完善和发展马克思主义的无产阶级专政和国家学说作出了贡献,推进了科学社会主义的发展。

马克思和恩格斯指出,巴黎公社革命失败的根本原因在于公社缺乏一个以科学社会主义理论武装的无产阶级革命政党的坚强领导。在制定一系列军事经济措施时,巴黎公社委员会内部分歧严重,既制定不出坚决有力的正确决策,又常陷入无谓的争吵,贻误战机。恩格斯在1891年版《法兰西内战》的导言中指出巴黎公社内部非马克思主义流派影响的严重性,"公社委员分为多数和少数两派:多数派是布朗基派,他们在国民自卫军中央委员会里也占统治地位;少数派是国际工人协会会员,他们多半是蒲鲁东派社会主义的信徒。那时,绝大多数的布朗基派不过凭着革命的无产阶级本能才是社会主义者;其中只有少数人通过熟悉德国科学社会主义的瓦扬,比较清楚地了解基本原理"[①]。同时,恩格斯指出,"对于公社在经济方面的各种法令,无论是值得称道还是不值得称道的方

---

① 恩格斯:《恩格斯写的1891年版导言》,马克思:《法兰西内战》,人民出版社2018年版,第12页。

面，首先要由蒲鲁东派负责；而对于公社在政治方面的行动和失策，则要由布朗基派负责”[①]，“无论是蒲鲁东派或布朗基派，都做了恰恰与他们那一派的学说相反的事情，遭到历史的嘲弄”[②]。其中，蒲鲁东主义是小资产阶级社会主义流派，对联合切齿痛恨。然而在1871年，公社最重要的法令是规定把大工业以及工厂手工业组织起来，要以每一个工厂内的联合为基础，把工厂的原有工人联合成合作社以开工生产，同时把这些合作社组成一个大的联社，这显然与蒲鲁东主义相悖。布朗基主义是空想社会主义流派，坚决反对第二帝国的侵略政策，是推翻第二帝国的重要战斗力量。但是布朗基主义重实干轻理论，不懂得社会发展规律，不承认无产阶级革命政党的领导的作用，因而也不可能找到推翻资本主义，实现共产主义的正确道路。为总结巴黎公社经验教训，完善无产阶级革命的科学理论，马克思写下了《法兰西内战》。

受国际工人协会总委员会委托，马克思于1871年4月18日着手起草《法兰西内战》，一直持续到5月底。马克思先写了《法兰西内战》初稿和二稿，并从5月6日起开始定稿。1871年5月30日，即巴黎最后一个街垒陷落两天后，总委员会一致通过了马克思宣读的《法兰西内战》的定稿文本。6月初，马克思又对这一宣言的第四部分的某些段落作了补充和修改。“《法兰西内战》是马克思用英文撰写的，最初于1871年6月13日前后在伦敦印成小册子，同年又出版了第二版和第三版。在第二版中改动了几处正文，增加了《附录》的第二部分。1871—

①② 恩格斯：《恩格斯写的1891年版导言》，马克思：《法兰西内战》，人民出版社2018年版，第12页。

1872年,《法兰西内战》先后被译成德文、法文、俄文、意大利文、西班牙文、荷兰文等多种文字,在欧洲各国和美国的报刊上发表,同时还出版了单行本。1872年,在布鲁塞尔出版了根据英文第三版翻译的法文版,马克思校订了译文,作了大量修改,并重新翻译了某些段落。1871年,《法兰西内战》由恩格斯译成德文出版。1876年,为了纪念巴黎公社五周年,再版了《法兰西内战》的德文本。1891年,为纪念巴黎公社二十周年,柏林《前进报》出版社出版了《法兰西内战》德文第三版(纪念版),恩格斯重新校订了译文,并为该版撰写了导言。同时,恩格斯把马克思写的国际工人协会总委员会关于普法战争的两篇宣言一并收入这一版。此后在《法兰西内战》的各种文字的单行本中,均收有这两篇宣言。"[1]本书参考的是2018年人民出版社出版的《法兰西内战》。

知识链接

★ 蒲鲁东主义 ★

蒲鲁东主义是小资产阶级社会主义流派,产生于19世纪40年代,19世纪60年代开始对法国工人运动产生重大影响。蒲鲁东主义的创立者是皮埃尔-约瑟夫·蒲鲁东(1809—1865),法国政论家、经济学家、小资产阶级社会主义者、无政府主义奠基人之一。蒲鲁东从小生产者的私有观念出发批判资本主义,提出维护小生产者利益的社会主义主张,幻想建立一个人人拥有私有财产,不受剥削的由小私有者主宰的社会。

① 马克思:《法兰西内战》,人民出版社2018年版,《编者引言》第6—7页。

★ 布朗基主义 ★

布朗基主义是法国工人运动中最流行的空想社会主义流派之一。主张依靠少数革命者的秘密团体起义来推翻资产阶级的统治,建立少数人的政权,并直接跳跃到共产主义。布朗基主义者是巴黎公社领导人中的多数派,主要掌管公社的军事事务等。布朗基主义的创立者是路易·奥古斯特·布朗基(1805—1881),法国著名的工人运动活动家、革命家和空想社会主义者。他主张通过政治革命来推翻资产阶级的统治,主张依靠少数职业革命家的起义和暴动来夺取政权,建立专政。

延伸阅读

(1) 张雷生主编:《马克思主义发展史》第2卷,人民出版社2018年版。

(2) [法]杜比:《法国史》,吕一民等译,商务印书馆2010年版。

(3) 顾海良主编:《人间正道是沧桑:世界社会主义五百年》,中国人民大学出版社2018年版。

深度思考

(1) 如何理解普法战争和法兰西第二帝国的覆灭?

(2) 如何理解巴黎公社的革命历程?

(3) 如何理解巴黎公社革命的意义?

Reading & Interpretation
大家写小书·马恩经典著作新读

第二章

《法兰西内战》的主要内容

1871年5月30日，即巴黎公社失败两天后，马克思在国际工人协会总委员会上宣读了《法兰西内战》，全面叙述了巴黎公社的战斗历程，深刻总结了巴黎公社的经验教训与历史意义。全书共分四部分，其主要内容分述如下。

一、国防政府的叛国及其与工人阶级的对立

巴黎公社革命因法国资产阶级在普法战争中的背叛而引发。国防政府作为法国大资产阶级利益的代表，在普鲁士进攻巴黎的危急关头投降卖国以换取镇压工人革命的军备力量，从而维护其资产阶级的统治。马克思深刻揭露国防政府无耻的叛国行径，怒斥其为卖国政府。

（一）国防政府成立

马克思在开篇中论述了以梯也尔为首的国防政府趁乱僭取国家政权的过程。1870年7月19日，普法战争爆发，以拿破仑三世为首的法兰西第二帝国在色当惨败，拿破仑三世连同在色当的法国官兵全部成为普鲁士军队的俘虏。消息传到巴黎，举国震惊，巴黎工人和全体劳动群众自发举行声势浩大的示威游行，高呼“推翻帝国！建立共和国！”。1870年9月4日，巴黎工人革命推翻拿破仑三世皇帝，宣布法兰西第三共和国成立。由于当时巴黎情况危急，工人阶级领袖还被关在监狱中无法担任领导工作，因此，工人阶级同意由资产阶级掌握新生共和国政权。在当天傍晚举行的第一次临时政府会议上，正式组成以特罗胥为首脑的内阁政府，为了稳定民心，这一新的资产阶级政府给自己取名为“国防政府”。来之不易的革命果实就这样被奥尔良党人和资产阶级共和党人僭取了，马克

思愤怒地写道："当巴黎工人宣告成立共和国而几乎立刻受到法兰西举国一致欢呼的时候，有一伙钻营禄位的律师——梯也尔是他们的政治家，特罗胥是他们的将军——占据了市政厅。那时他们的头脑里充满着这样一种迷信，即巴黎在一切历史危机时期负有代表全法国的使命，所以他们以为只要出示他们业已失效的巴黎议员证书，就足以使他们僭取到的法兰西统治者头衔合法化。"①

知识链接 ……………………………………………………………

★ 特罗胥（1815—1896）★

法国布列塔尼人，资产阶级政客，奥尔良党人。普法战争期间，是巴黎军事总督和保卫首都的部队总司令。1870年9月—1871年2月，任"国防政府"首脑。实际上他所领导的政府是一个卖国政府。特罗胥通敌卖国，煽动军队反对国民自卫军，是镇压巴黎公社的刽子手。

★ 阿道夫·梯也尔（1797—1877）★

法国国务活动家和历史学家，奥尔良党人，曾先后任内务大臣、贸易和公共事务大臣（1832—1836）、首相（1836和1840），第二共和国时期的制宪议会和立法议会议员（1848），第三共和国政府首脑（内阁总理）（1871）、总统（1871—1873）。在其政治生涯中，留给人们最深的印象是镇压巴黎公社的罪魁祸首。马克思尖锐地指出，梯也尔的政治生涯就是一部法国灾难史。

---

① 马克思：《法兰西内战》，人民出版社2018年版，第35页。

（二）国防政府投降卖国，挑动内战

色当战役中大胜的普鲁士军队并没有停止征服巴黎的脚步。德军在9月2日从色当出发，进军巴黎。巴黎被围困前，工人群众在国际会员组织下组建了近30万国民自卫军，扛起保卫巴黎的战旗。面对外敌入侵，代表大资产阶级利益的国防政府的做法却恰恰相反，他们一面与普鲁士签订和约，一面伺机镇压革命，希望国防政府尽快得到政权。国防政府从上台之日起，便踏上了投降卖国的道路。正像马克思所说，国防政府在民族义务和阶级利益冲突时，将自身变为卖国政府，以求获得外援镇压革命，维护其阶级统治地位。马克思详细列举了卖国政府在共和国建立之初为签订停战和约采取的一系列行动，如政府首脑特罗胥在共和国成立当天就宣布了巴黎投降计划，外交部部长茹尔·法夫尔在与甘必大的通信中承认国民政府防御的真正对象是巴黎的工人，等等。1871年1月28日，卖国政府派遣代表茹尔·法夫尔与普鲁士签订《停战和巴黎投降协定》，[①]继而签署同意以割让领土和巨额赔款来换取普鲁士军队支持的和约条款。对此，马克思讽刺道："骗子们终于丢开了假面具。国防政府投降了，它视极度的自甘屈辱为真正的英雄行为，变成了由俾斯麦的俘虏组成的法国政府。"[②]

---

① 参见中央党校编写小组编：《〈法兰西内战〉提要和注释》，人民出版社1972年版，第65页。

② 马克思：《法兰西内战》，人民出版社2018年版，第37页。

知识链接

★ 茹尔·法夫尔（1809—1880）★

法国资产阶级政客、律师，资产阶级共和党头目之一。1848—1851年任制宪议会和立法议会会员。国防政府和梯也尔政府时期（1870—1871），曾任外交部部长，作为代表参加和德国进行的关于巴黎投降和签订和约的谈判。法夫尔是镇压巴黎公社和迫害第一国际的刽子手。

★ 甘必大（1838—1882）★

法国资产阶级律师，共和党左翼首领。1870年9月后，任国防政府内务部长。法国在色当战役遭遇失败后，甘必大残酷镇压里昂、马赛、土鲁斯等城市的工人武装起义。1871年2月辞去内务部长职务，前往西班牙，巴黎公社失败后回国。后来担任法国众议院议长（1879—1881）和政府总理（1881—1882），主张对德国发动复仇战争，推行殖民主义的扩张政策。

（三）腐朽反动的资产阶级统治

在揭露国防政府的卖国行径之后，马克思进一步分析了资产阶级与巴黎工人之间尖锐的阶级矛盾，指出维护资产阶级统治才是国防政府假防御真内战的原因。在《国际工人协会总委员会关于普法战争的第二篇宣言》中，马克思指出："这个政府不只是从帝国那里继承了一大堆残砖断瓦，而且还继承了它对工人阶级的恐惧。"[①]国防政府将工人武装视为统治

① 马克思：《法兰西内战》，人民出版社2018年版，第31页。

的最大威胁，因此乞求俾斯麦扩大凡尔赛军队以镇压革命的巴黎，并在此期间做出许多违法败德之事。马克思用三分之二的篇幅细数了梯也尔政府以权谋私的无耻行径，揭露了资产阶级统治的腐朽与罪恶。外交部部长茹尔·法夫尔通过伪造文书，以其私生子女的名义谋得大笔财产；自封为共和国财政部部长的厄内斯特·皮卡尔与其兄弟阿尔图尔·皮卡尔利用法国军队在战争中的惨败大发横财；茹尔·费里以巴黎市长的身份在围城期间乱政失职，利用饥馑搜刮大笔财产。在揭露政府主要官员的违法恶行之后，马克思将炮火对准新政府首相梯也尔，揭露出梯也尔本质上是一个以权谋私、背信弃义、道德败坏的小人，**“是一个谋划政治小骗局的专家，一个背信弃义和卖身变节的老手，一个在议会党派斗争中施展细小权术、阴谋诡计和卑鄙伎俩的巨匠”**[①]。马克思怒斥以梯也尔为代表的资产阶级政府的腐败统治，称其**“政治生涯的记录就是一部法国灾难史”**[②]。这样腐败的政府如何能够带领法国抗击外敌？难怪马克思惊呼：**“充当反革命工具，还有哪个党派比这个党派更合适呢？”**[③]

知识链接 ……………………………………………………

★ 茹尔·费里（1832—1893）★

法国律师、政客，资产阶级共和派领袖之一。1870—1871年为

① 马克思：《法兰西内战》，人民出版社2018年版，第43页。

② 马克思：《法兰西内战》，人民出版社2018年版，第39页。

③ 马克思：《法兰西内战》，人民出版社2018年版，第45页。

国防政府成员，任巴黎市长。在普鲁士军队围困巴黎时期，茹尔·费里利用市民饥馑搜刮大笔钱财。后来还担任过内阁总理（1880—1881、1883—1885），主张推行殖民主义政策，对外发动侵略战争。

二、巴黎公社的革命历程

在第二部分中，马克思通过叙述1870年10月31日巴黎工人起义到1871年5月28日巴黎公社失败这一阶段中的几大事件，还原了巴黎公社的战斗历程，揭示了巴黎公社的历史真相。

（一）1870年10月31日的巴黎工人起义

国防政府接连出现的军事失守及国防政府对国民自卫军愈加敌视的态度，激化了由资产者组成的国防政府与无产者组成的革命武装之间的矛盾。1870年10月31日，巴黎市民与国民自卫军以“打倒政府”为口号进行起义，逮捕几名国防政府成员并占领市政厅。但由于内部背叛、小资产阶级营干涉等诸多原因，被捕政府人员随即便被释放。为避免引发大规模内战，工人阶级决定还是由国防政府掌管共和国。1871年1月28日，国防政府与普鲁士签订《停战和巴黎投降协定》，解除了法国正规军武装，国民自卫军成为保卫巴黎的唯一力量。2月16日，国防政府与普鲁士签订和约，企图以割让土地、赔偿巨款为条件换取普鲁士的支援，发动内战来解除国民自卫军武装。

（二）1871年3月18日的革命行动

1871年3月18日，梯也尔正式下达解除国民自卫军武装的任务，其理由为国民自卫军的大炮等武器归属国家，现须交还国家。马克思对梯也尔解除国民自卫军武装的理由进行了深刻批判，他指出，这些武器是普鲁士军队进驻巴黎前梯也尔军队撤退时丢弃而由国民自卫军自筹购买的，并且在梯也尔政府与普鲁士签订的投降书中也承认该武器归属于国民自卫军。因此，梯也尔是在没有正当理由的情况下，编造这一“蹩脚”借口主动发起了内战。

1871年3月18日凌晨，梯也尔派大批警察与几个战斗团夜袭蒙马特尔高地，目的是夺取国民自卫军大炮，解除其武装。但是梯也尔政府的反动目的失去了广大群众的支持，国民自卫军与巴黎人民团结一致，奋起反抗，发生的两件事彻底宣告了梯也尔政府解除国民自卫军武装的行动计划失败。一是夜袭蒙马特尔高地的波拿巴军官之一的勒孔特被他的士兵枪毙。原因在于他4次命令第81团的士兵向皮加尔广场上手无寸铁的群众开枪射击，因行为过于残忍而遭到士兵拒绝，他便百般辱骂士兵，最终士兵枪毙了这位残忍、蛮横的将军。二是时任国民自卫军总司令的克莱芒·托马将军是解除国民自卫军武装计划的策划人之一，他于3月18日前几日向陆军部长勒夫洛呈递了他一手炮制的“彻底消灭巴黎暴民之精粹”的计划书。18日当晚，他试图到蒙马特尔高地充当密探，最终在高地被杀。可以说，梯也尔政府是因失了民心而招致失败的。

3月18日，巴黎被“公社万岁”的雷鸣般的呼声惊醒，国民自卫军占领市政厅等地，工人阶级获得成功，并宣告工人阶级开始亲自掌握国家领导权力来解放自身。

与此同时，解除国民自卫军武装计划失败的梯也尔政府依然计划集结反动势力举行示威活动。3月22日爆发“在旺多姆广场上屠杀赤手空拳的公民”事件，即从富人区走出一支以纨绔阔少为主的游行队伍，他们表面以和平示威为口号，暗中携带杀人武器，企图夺取国民自卫军巡逻兵或哨兵的武器，出其不意地占领在旺多姆广场上的国民自卫军总部，国民自卫军一开枪，他们便四下逃窜。国民自卫军没有理会这次示威游行。两天后，这些人再次公开游行，遭到国民自卫军还击后，梯也尔政府整体出逃凡尔赛，为自己再次发动内战作准备。

面对反动势力的一系列示威活动，中央委员会和国民自卫军采取了宽容态度。马克思对此进行了反思。一方面，国民自卫军对梯也尔政府示威活动的宽容态度与旧政权曾经对待群众真正和平示威活动时的残暴态度形成鲜明对比。另一方面，马克思认为恰恰是中央委员会和国民自卫军对梯也尔政府的宽容态度，为日后巴黎公社的失败埋下了隐患，即巴黎公社的致命错误就是当梯也尔已经通过偷袭蒙马特尔发动了内战的时候，中央委员会却不肯把这场内战打下去，没有立刻向当时毫无防御能力的凡尔赛进军，一举粉碎梯也尔和他的那帮乡绅议员们的阴谋，因此给了梯也尔政府反击的机会。

（三）3月28日巴黎公社的成立及其后续斗争

3月26日，巴黎举行公投，使3月18日革命结果得到法律承认，巴黎公社被选出。3月28日，公社正式宣告成立，建立了第一个新型无产阶级政权，并颁布一系列措施法令。

与此同时，逃往凡尔赛的梯也尔政府一直试图寻求外援消灭公社，但屡遭失败。4月2日，梯也尔政府获得普鲁士军队支援，开始不断围攻巴黎。5月初，凡尔赛军队在不断获得支援的条件下占据了优势。5月28日，巴黎公社在坚持了72

天后失败,2万名起义者被内外反动势力扼杀,上万革命者惨遭逮捕流放。马克思回顾巴黎公社的整个历程后认为:巴黎公社虽然失败了,但公社所代表的无产阶级事业仍在继续,这次巴黎公社的革命历程为今后无产阶级革命如何成功指明了方向,积累了经验,“即使公社被打败,斗争也只是推迟而已。公社的原则是永存的,是消灭不了的;这些原则将一再凸显出来,直到工人阶级获得解放”[①]。

三、巴黎公社的性质、经验与意义

第三部分为全书重点,在这一部分中,马克思详细介绍了公社的具体措施及经验,揭示了巴黎公社之所以超越旧式资产阶级国家政权的“真正秘密”所在。

(一)打碎旧的国家机器,建立与“帝国”相对立的公社

马克思开篇首先提出了一条巴黎公社的基本原则:打碎现成的国家机器。**“但是,工人阶级不能简单地掌握现成的国家机器,并运用它来达到自己的目的。”**[②]在他看来,现成的国家机器本质上是奴役工人阶级的工具,奴役工人的政治工具不能当成解放他们的政治工具来使用。为此,工人阶级**“掌握政权的第一个条件是改造传统的国家工作机器,把它作为阶级统治的工具加以摧毁”**[③]。

巴黎公社所面对的“现成的国家机器”是以第二帝国为最完备形式的“中央集权的国家政权”。之所以要打破这一机

①《马克思恩格斯文集》第3卷,人民出版社2009年版,第607页。

② 马克思:《法兰西内战》,人民出版社2018年版,第56页。

③ 马克思:《法兰西内战》,人民出版社2018年版,第126页。

器，源自其固有的弊病。起源于君主专政时代的中央集权的国家政权拥有按照系统的和等级的分工原则建立的常备军、警察局、官僚机构、教会、法院等机关，这些机关象征着集中的国家权力。这种中央集权国家曾经作为新兴资产阶级反对封建制度的有力武器具有进步意义，但随着社会的发展，其政权性质开始蜕变，表现为：一方面现代工业的进步使得资本和劳动之间的对立不断发展、扩大和深化，国家政权在性质上逐步变成资本压迫劳动的政权，变成了为进行社会奴役而组织起来的社会力量，变成了阶级专制的机器。另一方面，集权性专制统治使国家的各项权力集中在政府机构，且集中在少数拥有权力的官吏手中。特权阶层滥用特权，使凌驾于社会之上的国家政权变为巨大的军事机器、庞大的官僚集团、巨额的苛捐杂税的温床。国家所拥有的令人倾心的官职、金钱和权势使国家蜕变为这个社会一切腐败事物的根源，民众的贫困同特权阶层无耻的骄奢淫逸形成鲜明对比。马克思特别强调，当时法国虽成立了法兰西第三共和国，但由于资产阶级掌握共和国权力，其本质依然是法兰西第二帝国，这一帝国的内在弊病与腐朽已经完全暴露，成为国家政权最低贱同时也是最后的形式，凸显出了必然灭亡的趋势。因此，工人阶级的主要任务是建立与帝国性质完全不同的新政权，即让公社成为帝国的直接对立物。“帝国的直接对立物就是公社。巴黎无产阶级在宣布二月革命时所呼喊的‘社会共和国’口号，的确是但也仅仅是表现出这样一种模糊的意向，即要求建立一个不但取代阶级统治的君主制形式、而且取代阶级统治本身的共和国。公社正是这个共和国的毫不含糊的形式。"[1]

（二）公社以消灭国家本身为目的

从历史上看，巴黎公社革命之前的历次革命结果都表现为对旧国家机器的维护，其所建立的政权都是一种一个阶级统治另一个阶级的国家政权，国家作为统治阶级的工具性质始终没有变，"历次的反动和革命所起的作用都只是把这一组织起来的权力——组织起来奴役劳动的暴力——从这一手中转到另一手中，从统治阶级的这一集团转到另一集团。这个组织起来的权力一直是统治阶级进行奴役和牟利的手段。它在每一次新变动中都吸吮了新的力量。它充当了镇压每一次人民起义的工具；在工人阶级进行了战斗，并被迫把它从他们的压迫者的这一集团转交给另一集团之后，它又被用去压制工人阶级"[2]。巴黎公社革命的特点在于以消灭国家本身为目的，它的任务不是建立一个正统的、立宪的、共和的或帝制等形式的统治国家，而是要彻底消灭国家，根本消除一个阶级统治另一个阶级的现象，实现人的彻底解放。

（三）公社要废除常备军而代之以武装的人民

建立新政权的首要任务就是废除常备军而代之以武装的人民。在公社，建立人民武装是其第一项制度法令，构建这一制度法令的意义表现在两个方面：一是建立人民武装有利于反击旧势力的复辟，即工人阶级唯有建立自己的武装力量才能有效击碎梯也尔政府恢复旧政权的企图。二是建立人民武装就是在废除常备军及警察这些代表着旧政权剥削、奴役人

---

① 马克思：《法兰西内战》，人民出版社2018年版，第59页。

② 马克思：《法兰西内战》，人民出版社2018年版，第100—101页。

民群众的物质力量。

（四）公社奠定了真正的民主制度的基础

巴黎公社奠定了真正的民主制度，“公社给共和国奠定了真正民主制度的基础”[①]。所谓“真正的民主制度”一方面是指将凌驾于国家之上的权力交还社会，即把国家权力交还给人民群众，成为人民群众的有组织的力量，以此实现人民共同管理国家的目标。另一方面是指将统治社会、压制社会、奴役人民群众的权力变为“使社会充满生气”的服务人民的力量。如何实现真正的民主制度？须采取以下几方面措施：一是实施普选制。马克思认为，等级授职制是违背公社精神的制度，因此，公社用普选制替代了等级授职制，将警察、法官等一切社会职务交由人民普选，选出的代表不再是统治者，而是人民的勤务员、公认的工人阶级代表，这些勤务员或人民代表对人民负责，受人民监督，且人民群众随时有罢免或撤换其的权力。并且巴黎公社采取了不同于资产阶级议会组织形式的议行合一的政权组织形式，使公社成为一个行政和立法兼而有之的工作机关。议行合一的政权组织形式，彻底摆脱了资产阶级议会制的官僚主义作风，有助于营造为人民群众负责的工作作风。二是实施低薪制。公职人员被定位为人民群众的勤务员，履行国家公共管理职能，为防止其腐败，公社取消从前国家的高官显宦所享有的一切特权以及公务津贴，使公社委员中自上至下的一切公职人员，都只能领取相当于工人工资的报酬。这样做可以最大程度地避免国家成为人们升官发财的

① 马克思：《法兰西内战》，人民出版社2018年版，第63页。

温床，凸显出国家的社会管理及服务职能。三是实施监督制。巴黎公社用人民监督代替了资产阶级国家分权制衡的监督机制，要求公社公职人员受到人民群众的监督。“公社可不像一切旧政府那样自诩决不会犯错误。它把自己的所言所行一律公布出来，把自己的一切缺点都让公众知道。”[1]“这些勤务员总是在公众监督之下进行工作的”[2]，以此防止社会公仆变主人。

（五）公社摧毁了作为压迫工具的宗教精神力量

除铲除旧政权的物质力量，公社同样铲除了压迫人民群众的精神力量，这一精神力量主要指宗教精神力量。公社不仅宣布教会与国家分离，剥夺一切教会所占有的财产，使教士们重新回归私人的清修隐遁的生活之中，以消除宗教对国家的干扰，而且，公社推行全民非宗教性义务教育，使一切教育机构对人民群众免费开放，并保持教育或科学的独立性，使其不受宗教或政治的干扰。

（六）公社是实行生产者自治的“廉价政府”

公社将国家权力交还人民群众，其中也包括下放国家权力给地方，鼓励地方实行自治。巴黎公社将地方自治与代表制相结合，实现了农村公社的地方自治、中心城镇的代表会议和巴黎的国民代表会议的统一，具体表现为：“公社将成为甚至最小村落的政治形式，常备军在农村地区也将由服役期限极短的国民军来代替。每一个地区的农村公社，通过设在中心城镇的代表会议来处理它们的共同事务；这些地区的各个

① 马克思：《法兰西内战》，人民出版社2018年版，第70页。
② 马克思：《法兰西内战》，人民出版社2018年版，第104页。

代表会议又向设在巴黎的国民代表会议派出代表，每一个代表都可以随时罢免，并受到选民给予他的限权委托书（正式指令）的约束。仍须留待中央政府履行的为数不多但很重要的职能，则不会像有人故意胡说的那样加以废除，而是由公社的因而是严格承担责任的勤务员来行使。"①

常备军和国家官吏是资产阶级政权的两大赘瘤，不仅是剥削人民群众的强制力量，还是旧政府的最大开支项目。巴黎公社铲除了常备军和国家官吏这两项旧政府的最大开支项目，减轻了民众的血税，也意味着真正实现了所有资产阶级提出但并未实现的廉价政府这一口号。廉价政府的实现也标志着巴黎公社重构了社会与国家之间的关系，即国家不再靠社会供养，而是成为服务社会的机构。"公社体制会把靠社会供养而又阻碍社会自由发展的国家这个寄生赘瘤迄今所夺去的一切力量，归还给社会机体。仅此一举就会把法国的复兴推动起来。"②

（七）公社的秘密："使劳动在经济上获得解放的政治形式"

马克思指出，无论是廉价政府还是"真正的共和国"都并非公社的最终目的，仅仅是公社发展过程中的伴生物。"公社的真正秘密就在于：它实质上是工人阶级的政府，是生产者阶级同占有者阶级斗争的产物，是终于发现的可以使劳动在经济上获得解放的政治形式。"③并且，马克思特别指出，实现劳

① 马克思：《法兰西内战》，人民出版社2018年版，第60—61页。

② 马克思：《法兰西内战》，人民出版社2018年版，第62页。

③ 马克思：《法兰西内战》，人民出版社2018年版，第63页。

动解放是公社体制存在的前提条件，没有劳动解放，公社一切体制都带有虚假性。这符合唯物史观关于经济基础决定上层建筑的一般原理，如果劳动者在经济上处于被剥削的地位，他就不可能在政治上获得和其他阶级一样的平等地位，正如马克思所言："如果没有最后这个条件，公社体制就没有存在的可能，就是欺人之谈。生产者的政治统治不能与他们永久不变的社会奴隶地位并存。所以，公社要成为铲除阶级赖以存在、因而也是阶级统治赖以存在的经济基础的杠杆。"[①]因此，公社必须先行消除劳动的阶级剥削属性，从而为实现人人平等的人民当家作主提供根本保障。

所谓劳动解放就是指使人人都变为工人，劳动不再成为某个阶级的属性，"劳动一解放，每个人都变成工人，于是生产劳动就不再是一种阶级属性了"[②]。实现劳动解放须要消灭那种将多数人的劳动变为少数人的财富的阶级所有制，重新确立个人所有制。"个人所有制"包含两方面内容：一是个人所有制要求将曾经作为剥削和奴役工人阶级的生产资料，如土地、资本等变为每个人可以自由拥有的劳动工具。二是个人所有制强调劳动者间可以自由联合，在公社的共同计划下，有步骤、有计划地联合生产，结束无时不在的无政府调节的生产状态。构建个人所有制，实现联合生产不仅彻底消灭了资产阶级旧政权以少数人剥削多数人的所有制基础，而且还解决了过去资产阶级社会因无序、盲目生产而出现的周期性经济危机问题。从这一意义上看，巴黎公社的这一举措事实上是在

①② 马克思：《法兰西内战》，人民出版社2018年版，第63页。

解放那些由旧的正在崩溃的资产阶级社会本身孕育着的新社会因素，这便是一种现实的共产主义运动。可见，共产主义不是一种现成的乌托邦，而是不断在旧世界中建造新世界的运动，是工人阶级在长期斗争中改造人和环境的历史过程，是**“为了谋求自己的解放，并同时创造出现代社会在本身经济因素作用下不可遏止地向其趋归的那种更高形式”**[①]的现实过程。

（八）公社是“一切健全成分”的真正代表并具有国际性

巴黎公社是工人阶级领导的第一个政权。工人阶级在获得自身解放的同时也解放了其他阶级。对农民阶级来说，公社的胜利是他们的唯一希望，公社作为廉价政府，不仅推行一系列免税政策，为农民免除血税以及乡警、宪兵和省长的残暴剥削，而且还给予农民阶级受教育的权利，由此根本改变了法国农民的生活状况，使其摆脱了被奴役的命运。对中等阶级，如店主、手工业者和商人来说，公社所采取的一系列措施解决了中等阶级最重要的债权及债务问题，同样拯救了这个中等阶级。因此，在公社中，工人阶级的领导地位获得了除富有资本家之外一切阶级的承认与肯定。工人阶级作为一切健全成分的真正代表，最大程度地团结了一切阶级，实现了以工农联盟为主体的阶级联盟。除此之外，公社还具有国际性质，其摒弃民族主义，使一切外国人都能享有为不朽事业而牺牲的荣誉，其通过委任外国人担任中央委员会成员的方式来倡导全世界无产者联合起来，体现了鲜明的国际性质。

---

① 马克思：《法兰西内战》，人民出版社2018年版，第64页。

四、巴黎公社的抗争失败与英雄气概

在第四部分，马克思叙述了梯也尔政府勾结俾斯麦残酷镇压巴黎公社、屠杀巴黎人民的经过，歌颂了工人阶级英勇无畏的自我牺牲精神，并向全世界控诉了梯也尔政府的屠城恶行。

（一）梯也尔政府的"和解小戏"

从1871年3月18日巴黎工人革命到1871年5月10日梯也尔政府与普鲁士签订和约，其间梯也尔多次进攻巴黎企图消灭公社，均以失败告终。面对公社战士的英雄气概，梯也尔深知单凭凡尔赛的军备力量无法突破巴黎城的防御。因此，在两次企图占领巴黎的行动失败后，梯也尔着手谋划另一场阴谋："假装同巴黎议和，借以争取时间准备对巴黎作战"[①]。

然而人心归向巴黎，外省的态度与梯也尔的设想完全不同。相较于对梯也尔政府的反对态度，英勇无畏的公社战士已得到各方面的支持。正如马克思所说："来自四面八方的代表团和宣言，都是用很不尊敬的口气坚决要求同巴黎和解，而和解的基础是毫不含糊地承认共和国，确认公社规定的各项自由权利，解散任期已满的国民议会。"[②]

面对此种情况，国防政府在4月23日下令把"呼吁和解"当作罪行查办。之后又下令在4月30日按照国民议会通过的新市镇法在全国举行市镇选举，以此获得进军巴黎的道义支持和物质力量。然而，在市镇选出的70万名市议员中，联合起

---

① 马克思：《法兰西内战》，人民出版社2018年版，第74页。
② 马克思：《法兰西内战》，人民出版社2018年版，第75页。

来的正统派、奥尔良派和波拿巴派总共不到8000人。梯也尔自以为的完美计划遭到彻底失败。马克思写道："国民议会不但没有从外省方面得到它迫切需要的物质力量，而且连最后一点道义力量，即作为这个国家普选权体现者的资格也丧失了。"①

直到5月18日，凡尔赛的国民议会批准了向普鲁士投降的条约，俾斯麦终于准予放回十万被俘的波拿巴兵员作为梯也尔进军巴黎的主力。普鲁士刺刀保护下的梯也尔政府终于露出和解戏码背后的真实面目。当进军巴黎的决定临近时，梯也尔对国民议会说："我将毫不留情！"②

（二）五月"流血周"

战斗开始了。当时巴黎公社所面临的军事形势是：巴黎的西面和南面被凡尔赛的13万军队所包围，东面和北面是普鲁士的15万军队。从4月2日到5月20日，经过一个多月的战斗，公社兵力西线减到1万人，南线减到8000人。

5月21日，凡尔赛军队开始总攻。由于梯也尔与俾斯麦的勾结，公社被迫切断与外省的联系。5月22日开始，公社社员在凡尔赛军队的进逼下开始退却，巴黎无产者开始遭到大规模屠杀。5月23日，巴黎公社的战斗中心蒙马特尔高地失守。这天夜里，巴黎呈现一片恐怖景象。大火焚烧着塞纳河畔的各条街道，公社将烈火和烟幕作为躲避围剿、有效防卫的唯一手段，然而这场大火却成为凡尔赛军队屠杀工人的借口，凡尔赛军队趁机使用火炮展开进攻。恩格斯在1891年版《法

① 马克思：《法兰西内战》，人民出版社2018年版，第78页。

② 马克思：《法兰西内战》，人民出版社2018年版，第80页。

兰西内战》导言中这样描述巴黎被屠城的景象："对赤手空拳的男女老幼已进行了一个星期的越来越疯狂的屠杀达到了顶点。用后装枪杀人已嫌不够快了，于是便用机关枪去成百上千地屠杀战败者。最后一次大屠杀是在拉雪兹神父墓地上的一堵墙近旁发生的，这堵'公社战士墙'至今还伫立在那里，作为无声的雄辩见证，说明一旦无产阶级敢于起来捍卫自己的权利，统治阶级的疯狂暴戾能达到何种程度。"[①]由此揭露了凡尔赛军队的残暴。5月28日是巴黎公社的最后一天，巴黎城内的进攻基地全部失守，公社战士顽强战斗到最后一刻。巴黎公社最终以失败告终。

针对梯也尔政府与普鲁士联合制造的这场规模巨大、骇人听闻的白色恐怖，马克思用锐利的语言揭露了资产阶级政府的腐朽与罪恶。他写道："在现代最惊心动魄的这场战争结束后胜败两军联合起来共同杀戮无产阶级这样一个史无前例的事件，并不是像俾斯麦所想的那样，证明正在崛起的新社会被彻底毁灭了，而是证明资产阶级旧社会已经完全腐朽了。"[②]据统计，被反动派杀害、监禁、流放、驱逐的巴黎人民达十万人。[③]历史不会忘记梯也尔之流的罪恶行径，正如马克思所说："那些扼杀它的刽子手们已经被历史永远钉在耻辱柱上，不论他们的教士们怎样祷告也不能把他们解脱。"[④]

---

① 恩格斯：《恩格斯写的1891年版导言》，马克思：《法兰西内战》，人民出版社2018年版，第11页。

② 马克思：《法兰西内战》，人民出版社2018年版，第87页。

③ 参见中央党校编写小组编：《〈法兰西内战〉提要和注释》，人民出版社1972年版，第29页。

④ 马克思：《法兰西内战》，人民出版社2018年版，第88页。

（三）巴黎公社作为新社会的光辉先驱将永远为人称颂

马克思以深厚的无产阶级情感歌颂了巴黎工人英勇悲壮的斗争，高度赞扬法国工人阶级“是整个现代无产阶级的先锋队”[①]。巴黎公社虽然失败了，但英勇无畏的公社战士，用鲜血和生命为无产阶级革命事业开辟了道路。公社战士的斗争精神将永远流动在工人阶级的血液中，无产阶级的斗争还将继续，革命的规模将越来越大，正如马克思所言：“工人的巴黎及其公社将永远作为新社会的光辉先驱而为人所称颂。它的英烈们已永远铭记在工人阶级的伟大心坎里。”[②]

在《法兰西内战》最后，马克思还谈到了欧洲各国政府对国际工人协会的诽谤和迫害。欧洲各国资产阶级政府无视资本对劳动的专横统治，将协会视为反对全世界资本阴谋的一切灾难的总根源，叫嚣铲除国际是资产阶级政府的主要任务。这是资产阶级统治面对无产阶级革命的国际联合，旨在浇熄无产阶级革命的星星之火。对此，马克思义正词严地指出：“我们的协会只是文明世界各国最先进的工人之间的国际纽带。无论在何处，在何种形式或何种条件下，只要进行着阶级斗争，自然总是我们协会的会员站在最前列。”[③]马克思继而批驳，国际工人协会在现代资本主义社会的土壤中孕育而生，“无论屠杀多少人，都不能把这个协会铲除。要铲除它，各国政府必须铲除资本对劳动的专横统治”[④]，即铲除资本主义制度本身。

巴黎公社虽然失败了，但它的历史功勋是不可磨灭的，巴

① 马克思：《法兰西内战》，人民出版社2018年版，第87页。

②③④ 马克思：《法兰西内战》，人民出版社2018年版，第88页。

黎公社在原则上是不可战胜的。马克思坚信，无产阶级革命的伟大事业将获得更广阔的发展，“最终谁将取得胜利——是少数占有者还是绝大多数劳动者——那是非常清楚的”[①]。

① 马克思：《法兰西内战》，人民出版社2018年版，第87页。

巴黎公社革命历程

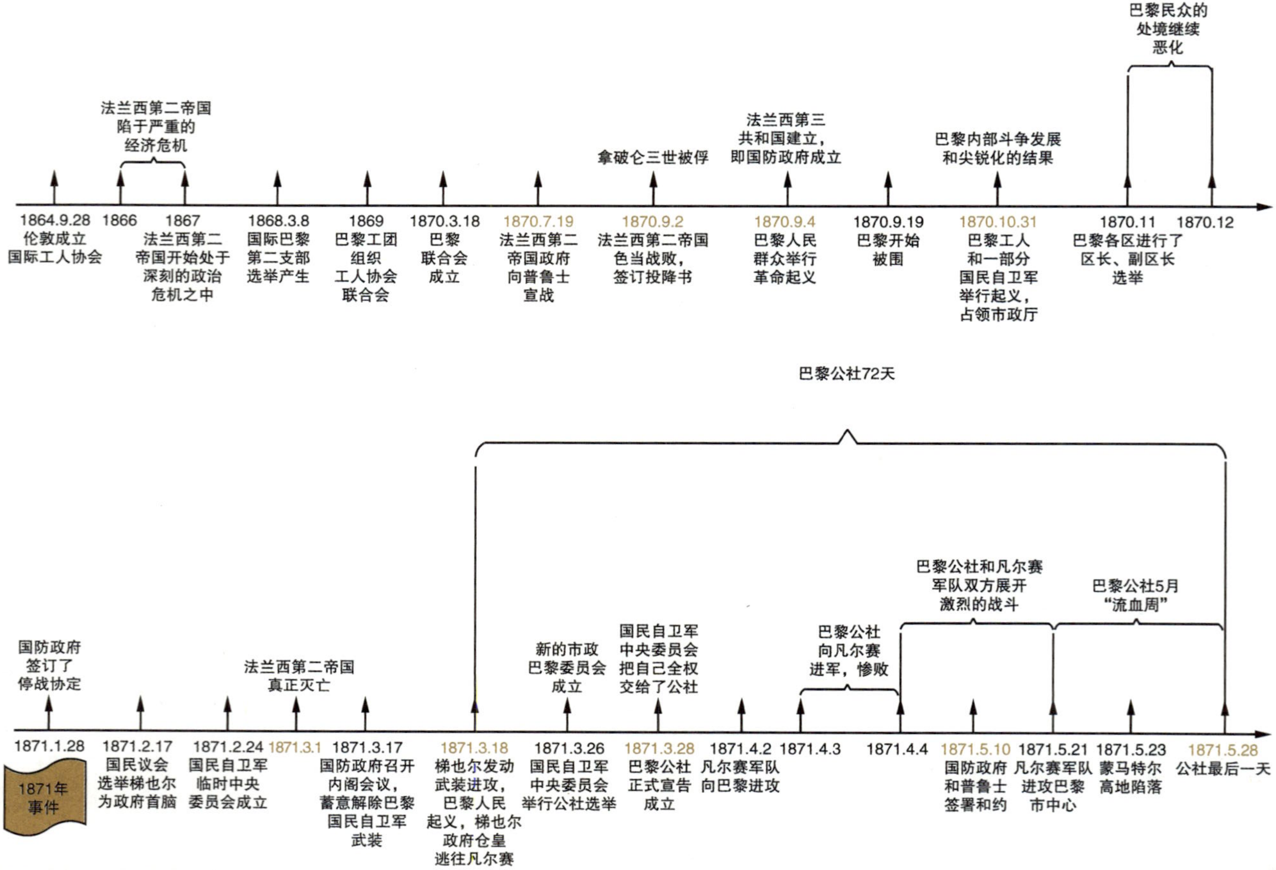

法兰西第二帝国
陷于严重的
经济危机
拿破仑三世被俘
法兰西第三
共和国建立，
即国防政府成立
巴黎内部斗争发展
和尖锐化的结果
巴黎民众的
处境继续
恶化
1864.9.28
伦敦成立
国际工人协会
1866
1867
法兰西第二
帝国开始处于
深刻的政治
危机之中
1868.3.8
国际巴黎
第二支部
选举产生
1869
巴黎工团
组织
工人协会
联合会
1870.3.18
巴黎
联合会
成立
1870.7.19
法兰西第二
帝国政府
向普鲁士
宣战
1870.9.2
法兰西第二帝国
色当战败，
签订投降书
1870.9.4
巴黎人民
群众举行
革命起义
1870.9.19
巴黎开始
被围
1870.10.31
巴黎工人
和一部分
国民自卫军
举行起义，
占领市政厅
1870.11
1870.12
巴黎各区进行了
区长、副区长
选举
巴黎公社72天
国防政府
签订了
停战协定
法兰西第二帝国
真正灭亡
新的市政
巴黎委员会
成立
国民自卫军
中央委员会
把自己全权
交给了公社
巴黎公社
向凡尔赛
进军，惨败
巴黎公社和凡尔赛
军队双方展开
激烈的战斗
巴黎公社5月
“流血周”
1871.1.28
1871年
事件
1871.2.17
国民议会
选举梯也尔
为政府首脑
1871.2.24
国民自卫军
临时中央
委员会成立
1871.3.1
1871.3.17
国防政府召开
内阁会议，
蓄意解除巴黎
国民自卫军
武装
1871.3.18
梯也尔发动
武装进攻，
巴黎人民
起义，梯也尔
政府仓皇
逃往凡尔赛
1871.3.26
国民自卫军
中央委员会
举行公社选举
1871.3.28
巴黎公社
正式宣告
成立
1871.4.2
凡尔赛军队
向巴黎进攻
1871.4.3
1871.4.4
1871.5.10
国防政府
和普鲁士
签署和约
1871.5.21
凡尔赛军队
进攻巴黎
市中心
1871.5.23
蒙马特尔
高地陷落
1871.5.28
公社最后一天

延伸阅读

（1）《马克思恩格斯文集》第3卷，人民出版社2009年版。

（2）李惠斌编著：《马克思〈法兰西内战〉研究读本》，中央编译出版社2013年版。

（3）《马克思恩格斯文集》第10卷，人民出版社2009年版。

深度思考

（1）巴黎公社的历史功绩是什么？

（2）巴黎公社失败的经验教训是什么？

（3）巴黎公社的原则是什么？

Reading & Interpretation
大家写小书·马恩经典著作新读

第 三 章

《法兰西内战》的理论意义与历史意义

作为人类历史上第一个无产阶级专政政权，马克思高度赞扬了巴黎公社所体现出的无产阶级伟大斗争精神及首创精神，并指出公社为科学社会主义理论发展提供了宝贵经验。他基于巴黎公社这一新型无产阶级政权的现实经验，深化了无产阶级革命理论、无产阶级专政理论、无产阶级政党理论，极大地发展了马克思主义国家学说。

一、无产阶级革命理论的丰富与发展

“工人阶级不能简单地掌握现成的国家机器，并运用它来达到自己的目的”[①]，这是马克思从巴黎公社中所得出的一条最重要的无产阶级革命经验。打碎现存的国家机器是《法兰西内战》中的核心要点，但是这一论断并非在《法兰西内战》中被首次提出。事实上，1848年之后欧洲相继爆发了一系列革命，马克思依据这些革命经验在1851年述评当时法国时局的《路易·波拿巴的雾月十八日》这部著作中首次提出无产阶级革命必须打碎资产阶级国家机器的论断。但由于当时无产阶级并未真正建立新的政权，因此，当时马克思并未对这一论断进行详细阐释，其理论依然停留在建构状态。巴黎公社的成功标志着无产阶级夺取政权并建立了第一个取代旧式国家机器的新型政权，这在马克思看来是一次无产阶级打碎国家机器的现实实践，正如他在1871年4月写的书信中指出的，巴黎公社是他此前提出的打碎官僚军事机器的英勇尝试。巴黎公社验证了马克思这一论断的正确性之后，马克思便将打碎国

① 马克思：《法兰西内战》，人民出版社2018年版，第56页。

家机器提升为其国家学说中的基本理论之一，上升为无产阶级革命的重要纲领，并且还将这一从巴黎公社现实经验中所得出的重要结论写入《共产党宣言》的1872年德文版序言中。马克思恩格斯指出两个月之久的巴黎公社的实际经验表明一个重要结论："工人阶级不能简单地掌握现成的国家机器，并运用它来达到自己的目的。"[①]由此重申了打碎旧的国家机器的意义与重要性。可见，经过巴黎公社的实践检验之后，这一论断正式成为科学社会主义理论的基本原理。而且，在《法兰西内战》中，马克思恩格斯在分析资产阶级国家性质，总结巴黎公社经验教训的基础上对为何要打碎国家机器、如何打碎国家机器等问题进行了详尽的分析。

工人阶级为何不能掌握现成的国家机器而必须要将其打碎才能实现解放自身的目的？马克思恩格斯从资产阶级国家政权的阶级本质角度论证了工人阶级打碎国家机器的必要性。在他们看来，一方面，工人阶级夺取政权后所接管的现成国家机器本质上是资本奴役工人劳动的工具，工人不可能用奴役自己的工具来解放自身，"奴役他们的政治工具不能当成解放他们的政治工具来使用"[②]。无产阶级革命以消灭阶级、消灭国家为目的，这一点决定了无产阶级须要掌握的国家机器与资本主义国家具有本质区别，工人阶级必须要通过"打碎"的方式建立新的政权形式。另一方面，无产阶级接管的是旧国家政权的"最后形式"，即法兰西第二帝国已经暴露了其全部缺陷，呈现必然灭亡的趋势，"巴黎工人阶级所必须打倒

① 马克思：《法兰西内战》，人民出版社2018年版，第56页。

② 马克思：《法兰西内战》，人民出版社2018年版，第126页。

的就是国家政权的这种最后的和最淫贱的形式，它的最高级的也是最低劣的现实，而且也只有这个阶级能够使社会摆脱它。至于议会制度，它早已被它自己的胜利和帝国葬送了。工人阶级必须做的只是不让它复活，工人必须打碎的不是旧社会政府权力的一个不太完备的形式，而是具有最后的、最完备的形式的政府权力本身，就是帝国”[①]。因此，公社必须打碎这最腐朽的国家政权，建立一个与帝国直接对立的新政权。

如何打碎国家机器？马克思恩格斯从巴黎公社的经验教训中论证了打碎国家机器与暴力革命之间的密切关系。从理论上讲，无产阶级接管的现成国家机器中留存有大量反动势力复辟的消极因素，彻底消灭这些因素不可能依赖于反动势力的自觉改变，因此，采取暴力革命是打碎旧的国家机器、彻底消灭反动势力的根本原则。巴黎公社的现实经验也切实验证了这一点，无产阶级在掌握政权后，放弃以暴力革命镇压国防政府中的反动势力，转而采取了宽容、仁慈的姿态，试图通过和平手段消除无产阶级与资产阶级间的对立，由此给予了反动势力回击的机会，直接导致巴黎公社的失败。因此，无产阶级掌握政权后放弃暴力革命则必然丧失打碎旧国家机器的可能性，换言之，使用暴力革命是无产阶级打碎旧的国家机器的主要方式。后期的改良主义、机会主义不断对暴力革命与打碎旧的国家机器之间的内在关联性提出质疑并企图修正，他们提出从资产阶级国家过渡到无产阶级国家并非必须依靠暴力革命，也可以依靠改良等和平方式，以此否认暴力革命对

① 马克思：《法兰西内战》，人民出版社2018年版，第129—130页。

于社会发展的重要意义。列宁对改良主义、机会主义的以上观点进行了深刻批判，并重申了暴力革命对于无产阶级夺取与巩固政权的价值与意义。他一方面强调资产阶级国家作为无产阶级和资产阶级矛盾不可调和的产物，不可能自行消亡，无产阶级必须运用暴力革命为夺取资产阶级国家政权扫清障碍，他曾在《国家与革命》中引用恩格斯《反杜林论》中的论述："暴力，用马克思的话说，是每一个孕育着新社会的旧社会的助产婆；它是社会运动借以为自己开辟道路并摧毁僵化的垂死的政治形式的工具。"[①]另一方面，列宁特别提到在无产阶级国家政权建立之后，暴力革命依然具有一定价值，这是因为任何一种新事物都是在旧事物的"母腹"中孕育成熟的，因而不可避免带有一些旧有的消极、腐朽因素。无产阶级国家作为一种新的政权也是如此，其若要彻底摆脱旧政权内部的腐朽因素，则须要在一定时间内依靠暴力革命。值得注意的是，列宁虽然提出了暴力革命在无产阶级国家建设时期的价值和意义，但他也对暴力革命的使用范围、对象、条件作了严格的限制与规定，提出要谨慎使用暴力革命，如果滥用暴力革命则会对无产阶级政权起到阻碍作用，"只有在革命发展的一定时期，只有在一定的特殊的条件下，革命暴力才是必要的和合理的革命手段"[②]。

① 列宁：《国家与革命》，人民出版社2015年版，第21页，转引自《马克思恩格斯全集》第26卷，人民出版社2014年版，第193页。

②《列宁选集》第3卷，人民出版社2012年版，第709页。

知识链接

★ 机会主义 ★

机会主义原意是指19世纪中叶法国政治生活中一些没有固定政治见解、随意改变政治态度的政党和政客。19世纪70年代以后，随着无产阶级理论和革命实践的发展，“机会主义”又有其具体而特殊的内容指向，指工人运动或无产阶级政党内部出现的违背马克思主义根本原则的思潮、路线。其特点是拒绝采用革命手段改变资本主义制度，而只通过温和的议会立法进行改良实践。机会主义的主张，从根本上讲，就是为了眼前暂时的利益而忘记根本大计，只图一时的成就而不顾后果，为了运动的现在而牺牲运动的未来。

★ 改良主义 ★

改良主义是一种试图以非革命手段解决资本主义社会矛盾的资产阶级和小资产阶级思潮。这种思潮宣扬阶级合作，主张在保存资本主义制度的前提下，实行局部的微小的社会改良；反对暴力革命和无产阶级专政，主张通过法令和立法途径实行社会改革，变资本主义为“普遍福利”社会。改良主义产生于19世纪中叶，当时资本主义的各种矛盾已充分暴露，无产阶级革命运动已蓬勃兴起，在资产阶级学者中，在工人运动内部，都有人鼓吹社会改良主张。前者如讲坛社会主义者和费边社会主义者，试图在不触动资本主义的条件下，借助于在资本主义法制范围内的一系列政策，调和阶级矛盾，使资本主义趋于完善；后者如工团主义以及蒲鲁东、拉萨尔等右倾机会主义者，反对无产阶级的暴力革命，主张通过和平的经济改良，或者通过阶级斗争和议会斗争，使劳动者的处境得到改善。

二、无产阶级专政与国家理论的丰富与发展

1848年欧洲革命为无产阶级专政理论提供了生动丰富的现实材料。革命失败后，马克思恩格斯撰写了《1848年至1850年的法兰西阶级斗争》，第一次提出“无产阶级专政”的概念，初步创立了无产阶级专政思想。1848年的革命风暴使马克思认识到无产阶级发动革命的条件尚未成熟，资产阶级统治基础依然牢固。由此，在1848年之后，马克思始终在思考一个问题：取代旧国家政权的新政权应采取何种形式。真正对这一问题作出系统回答是在1871年巴黎公社革命之后。列宁曾评价巴黎公社是“无产阶级革命打碎资产阶级国家机器的第一次尝试和‘终于发现的’、可以而且应该用来代替已被打碎的国家机器的政治形式”[①]。巴黎公社的成功使得无产阶级建立新型国家政权这一构想从理论变为现实。因此，在《法兰西内战》中，马克思根据巴黎公社的实际经验，明确提出了无产阶级打碎国家机器之后的新政权的组织形式问题，丰富和发展了无产阶级国家与无产阶级专政理论。

列宁认为，《法兰西内战》中蕴含着“马克思主义在国家问题上的最高成就”[②]，这一最高成就可以概括为：无产阶级国家政权不再是原来意义上的国家，其致力于通过无产阶级专政消灭国家。

第一，无产阶级国家政权已经不是原来意义上的国家。马克思和恩格斯都曾指出过，从国家的本质和起源上看，国家

① 列宁：《国家与革命》，人民出版社2015年版，第57页。

② 列宁：《国家与革命》，人民出版社2015年版，第76页。

无非是一个阶级镇压另一个阶级的工具。那么,无产阶级国家政权还有存在的合法性吗?在《哲学的贫困》中,马克思曾在理论上推论出无产阶级国家政权将不同于原来意义上的政权。巴黎公社之后,马克思的这一推论得到了验证。他在给倍倍尔的信中特别提到:“应当抛弃这一切关于国家的废话,特别是出现了已经不是原来意义上的国家的巴黎公社以后。”[①]巴黎公社是彻底打碎旧式国家机器的新型政权,在性质上是帝国这一旧式政权最后形式的对立物,因此巴黎公社不再等同于原来意义上的国家,如列宁所言:“公社所要镇压的不是大多数居民,而是少数居民(剥削者);它已经打碎了资产阶级的国家机器;居民已经自己上台来代替特殊的镇压力量。所有这一切都已经不是原来意义上的国家了。”[②]

第二,无产阶级国家政权以消灭国家为目的。无产阶级国家政权与原来意义上的国家相比,两者的根本区别是什么?答案是无产阶级国家政权以消灭国家为目的。无论是封建主义时期的世袭君主制国家还是资本主义时期的法兰西帝国,均是阶级统治的国家,是一个阶级对另一个阶级的统治工具。这里可以发现,马克思恩格斯所批判的原来意义上的国家是以阶级的普遍对立为存在前提的。在不消灭阶级对立与分化的前提下,国家政权的不断更迭无非表现为政权从一个统治阶级向另一个统治阶级传递权力的过程,“历次的反动和革命所起的作用都只是把这一组织起来的权力——组织起来奴役劳动的暴力——从这一手中转到另一手中,从统治阶级

①《马克思恩格斯文集》第3卷,人民出版社2009年版,第414页。
② 列宁:《国家与革命》,人民出版社2015年版,第67页。

的这一集团转到另一集团。这个组织起来的权力一直是统治阶级进行奴役和牟利的手段。它在每一次新变动中都吸吮了新的力量。它充当了镇压每一次人民起义的工具;在工人阶级进行了战斗,并被迫把它从他们的压迫者的这一集团转交给另一集团之后,它又被用去压制工人阶级"①。过去历次的革命都是在完善原来意义上的国家,没有消灭其存在根基,"所有的革命只是使国家机器更加完善,而没有甩掉这个令人窒息的梦魇。轮流争夺霸权的统治阶级中的各集团各党派,都把占据(控制)(夺得)和操纵这个庞大的政府机器看做胜利者的主要战果"②。巴黎公社革命则完全不同,公社的主要目的是消灭阶级对立,"工人阶级正是通过阶级斗争致力于消灭一切阶级,从而消灭一切阶级统治"③。阶级对立是原来意义上的国家的存在基础,消灭阶级对立就是在消灭国家。"这次革命的对象不是哪一种国家政权形式——正统的、立宪的、共和的或帝制的,而是国家本身这个社会的超自然怪胎。这次革命是人民为着自己的利益而重新掌握自己的社会生活的行动。它不是为了把国家政权从统治阶级这一集团转给另一集团而进行的革命,它是为了粉碎这个阶级统治的凶恶机器本身而进行的革命。"④因此,无产阶级国家政权是以消灭国家为根本目的的国家政权,是帮助人民群众实现解放的政权。

第三,无产阶级政权必须通过无产阶级专政才能消灭国

① 马克思:《法兰西内战》,人民出版社2018年版,第100—101页。

② 马克思:《法兰西内战》,人民出版社2018年版,第99页。

③ 马克思:《法兰西内战》,人民出版社2018年版,第105页。

④ 马克思:《法兰西内战》,人民出版社2018年版,第101页。

家。巴黎公社的现实经验表明，无产阶级掌握政权后，阶级对立不会自行消失。为此，在无产阶级打碎旧的国家机器到国家消亡之前将存在一个较长的过渡时期，这个时期须要以建立一个过渡时期的政权完成消灭阶级对立的任务。马克思恩格斯认为这个过渡时期的国家政权本质上就是无产阶级专政。巴黎公社就是无产阶级专政的一种具体形式，“你们想知道无产阶级专政是什么样子吗？请看巴黎公社。这就是无产阶级专政”[1]。工人阶级要以本阶级的国家机器代替统治阶级的国家机器，并以自己的国家机器改造人和环境，为消灭阶级与国家创造条件。

《法兰西内战》中，马克思通过对巴黎公社的描述进一步勾画了无产阶级专政的基本特征，丰富了无产阶级专政学说。

第一，建立人民武装。马克思在谈及巴黎公社的成功经验时就曾指出建立由工人为主体的国民自卫军应是公社的第一个制度。在他看来，国防政府中的常备军是资产阶级政权的毒瘤之一，资产阶级政权正是利用常备军这一强制力实现专制统治。因此，在革命及建设过程中，无产阶级均须要以“武装的人民”代替常备军。在无产阶级革命阶段，人民武装是推翻旧政权的物质力量。从国防政府将解除无产阶级武装作为首要任务就可知建立人民的武装对于对抗国防政府具有至关重要的意义，当时巴黎无产阶级的国民自卫军就为无产阶级对抗以梯也尔为首的国防政府提供了保障力量。在无产阶级政权建设过程中，人民武装依然具有重要意义，其能在履

① 恩格斯：《恩格斯写的1891年版导言》，马克思：《法兰西内战》，人民出版社2018年版，第16页。

行日常职能的基础上，成为遏制反动势力复辟的武装保障。正如马克思在纪念国际成立七周年的大会上指出，无产阶级的胜利要以战场上的胜利为前提，“工人阶级必须在战场上赢得自身解放的权利”[①]。

第二，奠定真正的民主制度。奠定真正的民主制度的基础的是“公社——这是社会把国家政权重新收回，把它从统治社会、压制社会的力量变成社会本身的充满生气的力量；这是人民群众把国家政权重新收回，他们组成自己的力量去代替压迫他们的有组织的力量”[②]，即所谓民主就是权力取之于民，用之于民，国家公职人员成为社会公仆与勤务员。若要避免民主流于形式，须要做到以下几点：一是实行普选制。资产阶级国家曾经也有普选制，但其日益形式化，无产阶级专政的普选制与资产阶级的普选制在选举目的、内容等方面相区别。选举的目的方面，巴黎公社普选的目的是在广大人民群众中选择服务人民的代表，而非在统治阶级中选择统治人们的领导，“普选权不是为了每三年或六年决定一次由统治阶级中什么人在议会里当人民的假代表，而是为了服务于组织在公社里的人民，正如个人选择权服务于任何一个为自己企业招雇工人和管理人员的雇主一样”[③]。换言之，无产阶级国家是一个工作机构，而非统治机构，人民选举的目的就是在选择管理国家的工作人员。选举的内容方面，国家一切职务都要由人民群众进行普选，特别是警察、法官、审判官等过去担任统治

①《马克思恩格斯文集》第3卷，人民出版社2009年版，第619页。

② 马克思：《法兰西内战》，人民出版社2018年版，第102页。

③ 马克思：《法兰西内战》，人民出版社2018年版，第61页。

阶级物质力量的职能部门都采取普选制，由人民选举产生。并且，人民有权罢免各国家职能部门的工作人员。二是取消高薪制。公社将过去仅仅局限在某些特殊阶级手中的高不可攀的职务变为人人都可参与的职务，彻底消除**“行政和政治管理是神秘的事情，是高不可攀的职务，只能委托给一个受过训练的特殊阶层”**[①]的看法，并且给予这些担任职务的人员与熟练工人一样的报酬，**“从公社委员起，自上至下一切公职人员，都只能领取相当于工人工资的报酬”**[②]，取消一切公务员的特权及公务津贴。三是推行监督制。加强监督是防止国家公权力泛滥的重要环节。公社中的人民监督不再采用资产阶级国家“分权制衡”的监督方式，而是采用全民共同监督的形式。人民共同监督国家机关的整个选举过程，保证选举公正；共同监督公社政务，要求公社政务公开，如巴黎公社的报刊每天公布除了军事行动以外的一切公社会议记录，以便让人民群众了解真实情况；共同监督公社的财务状况，防止公社变为公职人员大肆敛财的温床。巴黎公社以人民共同监督的方式来克服官僚主义制度的弊病，保证国家公权力不会在社会生活中被滥用成为统治人们的工具。

第三，实现劳动解放，建立个人所有制。马克思曾说，巴黎公社是工人阶级政府。如何体现政府的工人性质？关键是要实现工人阶级的劳动解放，使人人变为工人，劳动不再成为一种阶级属性。实现劳动解放所对应的所有制结构为个人所有制。资本主义私有制最大的问题在于生产资料与劳动者分

---

① 马克思：《法兰西内战》，人民出版社2018年版，第103页。

② 马克思：《法兰西内战》，人民出版社2018年版，第60页。

离，劳动归属于某个特定阶级，生产资料归属于另一个阶级，无产阶级被迫劳动获取生活资料，进而处于一种被压迫、被剥削的地位。一方面，替代私有制的个人所有制强调生产资料不是由社会中的少部分人占有，而是由社会中的每一个人占有，人人都成为劳动者且占有生产资料，由此实现劳动者与生产资料的统一，彻底消灭将生产资料作为剥削资本的基础，“消灭那种将多数人的劳动变为少数人的财富的阶级所有制”[①]。另一方面，个人所有制强调社会有计划地联合生产，即生产不再成为少数有产者私人的事情，而是在每个人都拥有生产资料的前提下，将土地和资本等变成自由和联合的工具，社会建立生产合作社，国家按照共同计划调节生产以此克服经济危机。

第四，以公仆取代主人，实现廉价政府。《法兰西内战》中的廉价政府思想与“社会公仆”思想从宏观与微观两个层面对无产阶级专政中的国家、社会及人民群众的关系予以了分析。廉价政府思想从宏观层面规定了无产阶级专政中国家与社会的关系。在资产阶级国家之中，国家与社会的关系表现为国家统治并剥削社会，社会供养国家，正如马克思认为资产阶级国家具有寄生性，“像蟒蛇似的用官僚、警察、常备军、僧侣、法官把社会机体从四面八方缠绕起来的庞大的寄生政府，诞生于专制君主制时代”[②]。这里的寄生性是指国家通过搜刮民脂民膏供养其官僚和军队等的一切开支。为此，无产阶级的政权要重构国家与社会的关系，通过简政放权等将国家变

① 马克思：《法兰西内战》，人民出版社2018年版，第64页。

② 马克思：《法兰西内战》，人民出版社2018年版，第127页。

为服务于社会的机构。社会公仆思想从微观层面规定了无产阶级专政中国家公职人员与人民群众的关系。由于无产阶级国家是服务于社会的政权,因此国家公职人员也就成为社会的公仆、人民的勤务员,这与国家官吏是社会主人的资产阶级国家完全不同,将社会主人变为社会公仆,重构了国家公职人员与群众之间的关系。

三、无产阶级政党理论的丰富与发展

马克思的无产阶级政党理论是在无产阶级的革命斗争中产生与发展的。巴黎公社革命爆发之前,马克思已经在《共产党宣言》《1848年至1850年的法兰西阶级斗争》等著作中,对无产阶级政党的性质、纲领、特点等进行过相关阐释。1871年巴黎公社革命为马克思丰富其政党理论提供了现实经验。

巴黎公社的失败教训使马克思恩格斯深刻认识到建立无产阶级政党的重要性与必要性。恩格斯在《法兰西内战》的序言中提到了巴黎公社失败的原因之一在于缺乏以科学社会主义为指导思想的无产阶级革命政党的领导。当时的巴黎公社中央委员会由多数派与少数派两个派别构成。多数派为布朗基派,该派别中的成员多为国民自卫军的组织者。这些成员的优点在于拥有无产阶级革命热情,擅长领导国民自卫军进行革命武装等;缺点在于,布朗基主义重视暴力革命却轻视理论指导,也不主张依靠人民群众通过制定切实可行的社会革命方案进行革命,而更迷信于通过一支纪律严明、拥有革命毅力的少数派组织通过密谋活动夺取革命胜利。因此,该派别的多数成员既不理解社会发展的基本规律,也不理解无产阶级的历史使命，更不重视无产阶级政党的重要价值，可以说，布朗基派的革命热情是一种面对反动势力所表现出的自发反抗精神，而不是一种科学理论指导下的自觉意识，正如恩格斯所言：“绝大多数的布朗基派不过凭着革命的无产阶级本能才是社会主义者。”[①]少数派为蒲鲁东社会主义的信徒，蒲鲁东主义是小资产阶级社会主义流派，其以维护小资产阶级利益为出发点，试图建立一个人人拥有私有财产，不受任何剥削与压迫的社会。其反对暴力革命，反对工人结社和罢工，主张走无政府主义道路的思想，等等。这些错误思潮在当时将巴黎公社的革命与建设引向歧途。

缺乏集中统一的无产阶级政党领导，由布朗基派和蒲鲁东派组成的巴黎公社中央委员会领导巴黎公社导致了两个结果：一是巴黎公社缺乏科学社会主义理论的指导，在空想社会主义或小资产阶级社会主义思潮影响下，制定不出科学合理的革命策略或建设意见。马克思曾在1881年的书信中提到巴黎公社时也表示当时公社中的大多数人根本不是社会主义者。基于此，恩格斯指出，中央委员会的错误指导直接导致巴黎公社在建设过程中忽视了很多重要的举措，甚至没有完成一些基础性任务，比如巴黎公社没有没收或管控当时的法兰西银行以控制法国资产阶级的经济命脉，而是始终“在其大门外毕恭毕敬地伫立不前”[②]，进而导致在巴黎公社存在期间，凡尔赛政府从银行中获取了25700万法郎，不断扩充着反动势力的实力。再比如，巴黎公社没有管制当时的报刊言论，凡尔赛

①② 恩格斯：《恩格斯写的1891年版导言》，马克思：《法兰西内战》，人民出版社2018年版，第12页。

政府不断利用报刊诋毁公社、抨击无产阶级革命，引导舆论导向来动摇民心。二是巴黎公社缺乏团结，领导层存在分歧，长时间陷入争论之中而削弱了巴黎公社的组织力与战斗力。布朗基派奉行的空想社会主义和蒲鲁东派奉行的小资产阶级社会主义在诸多观点、主张以及策略上存在严重分歧，甚至在某些方面背道而驰，例如蒲鲁东派主张中央政府应是各地公社组织的联合，每个公社都是一个具有自治职能的自治组织。布朗基派则刚好相反，其主张建立一个以巴黎公社为国家首都或政治中心的专政国家政权。这些矛盾分歧决定了当时的巴黎公社存在事实上的两个领导核心，严重影响了两个派别的工人间的团结，一度出现公社委员会互不配合、各自为政的现象。更为重要的是，两派之间的矛盾与分歧时常导致公社陷入僵持与争论之中，严重影响巴黎公社的革命进程。比如在凡尔赛军队围攻巴黎公社的紧急状况下，公社却就新执行委员会的名称、人数、权限等琐碎问题争论不休，延误了巴黎公社战机，导致军事出现较大失误等等。

事实上，巴黎公社也曾尝试建立无产阶级政党。马克思曾写信提醒当时的巴黎公社委员会切忌陷入琐碎的争论之中，要警惕各种思想流派对工人运动的干扰。当时的巴黎公社工人阶级借鉴了这一意见，并提出了建立统一的政党的意见。但是，一方面，当时巴黎公社处于国内外反动势力的联合进攻之下，建党的环境不成熟；另一方面，布朗基派与蒲鲁东派都拒绝建党，蒲鲁东派认为建党就是专政，布朗基派担心丧失领导权。基于此，当时的巴黎公社缺少了建立统一的无产阶级政党的主客观条件，因而遭遇了惨痛的失败。巴黎公社之后，马克思恩格斯深刻认识到了加强无产阶级政党建设的重要意义，统一的无产阶级政党不仅可以为革命提供科学的理论指导，帮助工人阶级抵御各类错误思潮的影响，同时还可以巩固党内团结，实现思想统一、行动统一。正如恩格斯所言：“巴黎公社遭到灭亡，就是由于缺乏集中和权威。”[①]在巴黎公社失败4个月后，马克思在《国际工人协会共同章程》中明确提出，“在反对有产阶级联合权力的斗争中，无产阶级只有本身组织成为与有产阶级建立的一切旧政党对立的特殊政党，才能作为一个阶级来行动。——无产阶级这样组织成为政党是必要的，为的是要保证社会革命获得胜利和实现这一革命的最终目标：消灭阶级。——工人阶级通过经济斗争而已经达到的本身力量的联合，同样应当成为它在反对其剥削者的政权的斗争中的杠杆”[②]，“所以，夺取政权已成为无产阶级的伟大使命”[③]。1872年，他们关于无产阶级政党的上述观点被列为《国际工人协会共同章程》第八条，成为无产阶级政党理论的重要内容。

延伸阅读

（1）列宁：《列宁全集》第31卷，人民出版社2017年版。

（2）列宁：《列宁专题文集·论马克思主义》，人民出版社2009年版。

（3）列宁：《国家与革命》，人民出版社2015年版。

---

①《马克思恩格斯文集》第10卷，人民出版社2009年版，第375页。

②③《马克思恩格斯全集》第44卷，人民出版社1982年版，第577页。

深度思考

（1）打碎旧的国家机器的内涵是什么？

（2）党的领导对于无产阶级革命与国家建设有什么重要意义？

（3）如何理解无产阶级专政的过渡性质？

Reading & Interpretation
大家写小书·马恩经典著作新读

第四章

新时代重读《法兰西内战》的现实意义

马克思深刻阐释了巴黎公社原则的科学内涵和伟大意义，并指出公社虽然失败了，但公社的原则是永存的。新时代研读《法兰西内战》，重温公社的科学原则与历史经验对于把握中国特色社会主义的本质及制度优势，推进社会主义民主政治建设，推进国家治理体系和治理能力现代化均有重要意义。

一、有助于科学把握当代资本主义国家的本质

《法兰西内战》及序言中，马克思恩格斯对当时资产阶级政权的本质进行了深刻分析与揭露。这对于我们认识当代资本主义国家的新变化及本质依然具有普遍意义。

第一，资产阶级国家是“资本奴役劳动的工具”。在序言中，恩格斯从一般意义上的国家的起源及本质入手批判了人们对“国家的迷信”[①]。现实生活中，不少人对国家怀有一种盲目的崇拜，将国家理解为是“尘世的上帝王国”[②]或者说是“永恒的真理和正义所借以实现或应当借以实现的场所”[③]。恩格斯反对这种观点并指出，国家的产生与阶级矛盾有关。当社会分裂为不同的阶级之时，阶级间不可调和的矛盾必然要求有一个凌驾于社会之上的力量来缓和阶级间的冲突，维持统治阶级统治地位，国家就是这个缓和冲突的力量，从这个意义上看，国家本质上就是一个阶级统治另一个阶级的工具。当国家演化到资产阶级国家政权这一形态之后，国家的这种性质是否会发生变化？马克思恩格斯认为答案依然是否定的。

①②③ 恩格斯：《恩格斯写的1891年版导言》，马克思：《法兰西内战》，人民出版社2018年版，第15页。

从资本主义国家发展的角度来看，新兴资产阶级国家相较于过去封建时期的世袭君主制国家而言是历史的进步，但是随着资本主义的发展，“成熟了的资产阶级社会最后却把它变成了资本奴役劳动的工具”[①]。伴随着资本主义社会的发展，“现代工业的进步促使资本和劳动之间的阶级对立更为发展、扩大和深化”[②]。资产阶级逐步转化为工人阶级和广大群众的对立面。国家性质也随之变化，“国家政权在性质上也越来越变成了资本借以压迫劳动的全国政权，变成了为进行社会奴役而组织起来的社会力量，变成了阶级专制的机器”[③]。由此可以说，资产阶级国家本质上是对无产阶级的专制政权，是资产阶级维护其统治地位的工具；并且这种工具性与其特有的私有制结构有关，是私有制导致的阶级对立的必然结果。因此，时至今日，资本主义国家的这种工具性质依然存在。2020年席卷全球的新冠疫情就暴露了当代资本主义制度的弊病，如一向以保障人权为口号的美国在这次疫情防控中体现出对人民群众生命权的漠视。国务院新闻办公室发布的《2020年美国侵犯人权报告》中显示：“美国人口不足世界总人口的5%，但截至2021年2月底，其新冠肺炎确诊病例数却超过全球总数的25%，死亡病例数占全球总数的近20%。”[④]美国是号称拥有世界上最丰富的医疗资源和最强医疗护理能力的国家，最终成为世界上确诊人数和死亡人数最多的国家，与政府不作

① 马克思：《法兰西内战》，人民出版社2018年版，第59页。

②③ 马克思：《法兰西内战》，人民出版社2018年版，第57页。

④ 国务院新闻办公室编：《2020年美国侵犯人权报告：汉英对照》，五洲传播出版社2021年版，第46页。

为、应对不力有密切关系。在新冠疫情防控中，特朗普政府始终将政治私利作为首要任务，即便是疫情已经在美国大范围蔓延，确诊病例和死亡病例已升至全球第一，特朗普政府出于政治私利，依然急于重启经济。“沃克斯新闻网2020年8月11日评论称，一些州在4、5月份就忙于重启经济，使得病毒传播的重灾区从最初的纽约地区向南部、西部扩散，并最终扩散到全国其他地区。”[①]在美国疫情防控中，老年人、残障人士及无家可归人士等成为政府抗疫不力的“牺牲品”，其生命被贬值、尊严被贬损，如流落街头的无家可归者遭到严厉驱逐，被迫住进临时收容所，收容所因人员拥挤难以保持社交距离，使得病毒极易传播，最终导致疫情集中暴发。“《华盛顿邮报》2020年5月9日的评论称，美国的抗疫行动成了‘一场国家批准的屠杀’，它故意牺牲老年人、工人、非洲裔和拉美裔人口”[②]，“2020年3月23日和4月20日，得克萨斯州副州长丹·帕特里克在接受福克斯新闻网采访时两次表示，‘宁愿死也不愿看到公共卫生措施损害美国经济’”[③]。可见，在美国政府眼中，广大人民群众是可以随时牺牲的工具而非目的，在维护人民生命安全与维护统治者政治私利上，美国政府毫不犹豫地选择了后者，这就是资本主义国家本性决定的必然结果。

第二，资产阶级国家是“一切腐败事物的温床”[④]。马克思指出，法国资产阶级国家政权最早是以政变作为自己的“出生

① 国务院新闻办公室编：《2020年美国侵犯人权报告：汉英对照》，五洲传播出版社2021年版，第49—50页。

②③ 国务院新闻办公室编：《2020年美国侵犯人权报告：汉英对照》，五洲传播出版社2021年版，第51页。

④ 马克思：《法兰西内战》，人民出版社2018年版，第59页。

证”，以普选为“批准手续”，以宝剑为权杖的资产阶级政权，其起初是新兴资产阶级反对封建制度的武器，是摆脱封建专制制度的解放手段。新兴资产阶级以实现每个人的自由、民主为革命口号，其阶级利益始终与其他阶级利益相一致。在资产阶级全面掌握政权后，资产阶级国家政权逐步蜕化变质。为防止和镇压无产阶级革命，起源于君主专政时代的警察局、官僚机构、教会、法院等统治阶级内部机关逐步实现联合，使国家各项权力集中在政府机构，且主要集中在少数拥有权力的官吏手中。本应为人民群众服务的公职人员由社会公仆变为社会主人，成为掌握社会公权力的官僚特权阶层，特权阶层使公共权力逐步私有化，并利用权力之便窃取侵吞公众财产，掠夺利用各种社会资源，由特权阶层构成的国家“甚至于践踏统治阶级的利益；它用它自己挑选的立法团和由它自己出钱供养的参议院来代替统治阶级摆样子的议会；它的无限权势得到普选的批准；它被公认为维护‘秩序’亦即维护地主和资本家对生产者的统治的必要条件；它用昔日的破旧面具掩盖今天贪污腐化之盛行，掩盖最腐朽的寄生集团——金融骗子们的得逞；它放纵过去的一切反动势力，形成一个万恶之渊薮”①。由此，“表面上高高凌驾于社会之上的国家政权，实际上正是这个社会最丑恶的东西，正是这个社会一切腐败事物的温床”②。资产阶级贪污腐败、骄奢淫逸的行为使得整个社会的两极分化愈演愈烈，“民众的贫困同无耻的骄奢淫逸形成

① 马克思：《法兰西内战》，人民出版社2018年版，第100页。
② 马克思：《法兰西内战》，人民出版社2018年版，第59页。

鲜明对比”[1]。正如列宁指出的，资产阶级的统治者对社会的贡献少之又少，却依靠着手中无限的权力对民众进行剥削与压迫，享受着民众为资产阶级创造的物质条件，这样的资产阶级政权带有明显的寄生性，而这种寄生性又源于资产阶级国家的剥削性。资产阶级作为资本的人格化代表体现着资本的逐利本性，因此资产阶级官僚的腐败符合资本增殖逐利的逻辑，是资产阶级维护私有制、遵循资本逻辑的必然结果。因此，在不改变私有制的前提下，资本主义国家的腐败现象同样不会真正消除。《2020年美国侵犯人权报告》中指出，2020年美国民众对其民主制度的信心下降至20年来最低点，[2]美国民主制度失序引发政治乱象，权钱交易、权权交易、假公济私等腐败行为已经成为常态，美国的政治腐败愈演愈烈。

在美国，“金钱政治”已经成为公开的事实。巨额的选举费用背后是对参选人筹款能力的隐性筛选，四年一度的总统选举已经沦为“砸钱游戏”，其竞选费用逐年攀升，“2020年美国总统和国会选举的总支出高达140亿美元，是2016年的2倍多。其中，总统选举花费再创历史纪录”[3]。且在竞选费用中包括大量公开的政治捐款与秘密资金、“黑钱”，利益集团通过政治捐款等方式为总统候选人投资，一旦扶持的代理人获胜，利益集团中的其他人就变为各类政府高官，由此从总统到部长，再到联邦机构的高级官员和顾问都是用资本换取权力。

---

① 马克思：《法兰西内战》，人民出版社2018年版，第59页。

② 参见国务院新闻办公室编：《2020年美国侵犯人权报告：汉英对照》，五洲传播出版社2021年版，第55页。

③ 国务院新闻办公室编：《2020年美国侵犯人权报告：汉英对照》，五洲传播出版社2021年版，第54页。

高额的竞选费用决定了选举平等只是虚假的口号，选举成为富人阶层的“独角戏”。这一现象与马克思在《法兰西内战》中所揭露的资本主义普选制的本质一致，当时的法国资产阶级普选制就表现为**“每三年或六年决定一次由统治阶级中什么人在议会里当人民的假代表”**[①]。美国金钱政治的本质是用资本换取权力，其核心诉求是用权力维护资本利益，因此在竞选过后，政府自然成为某几个利益集团的敛财工具，国家政权为维护私人利益扭曲或压制民意。例如，美国的枪支制造、买卖和使用是一个巨大的产业链，形成了庞大的利益集团。这些利益集团为总统选举和国会选举提供大量的政治捐款。因此，即便民众要求禁枪的呼声不断，但立法和行政机构在枪支管控问题上表现为不作为，任由事态持续恶化。2020年美国枪击事件再创历史新高。“《今日美国报》网站2020年12月18日报道，美国的持枪杀人率是其他发达国家的25倍。‘枪支暴力档案室’发布的数据显示，2020年美国共有超过41500人死于枪击，平均每天达110多人，创下历史最高纪录；全国共发生592起大规模枪击事件，平均每天超过1.6起。北卡罗来纳州查塔姆郡枪击案、加利福尼亚州河滨郡枪击案、阿拉巴马州摩根郡枪击案均造成7人死亡。芝加哥仅5月底的一个周末就有85人被枪击，其中24人死亡。2021年1月9日下午，32岁的枪手杰森·南丁格尔在芝加哥沿街疯狂滥杀民众，导致3人死亡、4人重伤。”[②]由此可以说，虽然当代资本主义出现了诸多新

---

① 马克思：《法兰西内战》，人民出版社2018年版，第61页。

② 国务院新闻办公室编：《2020年美国侵犯人权报告：汉英对照》，五洲传播出版社2021年版，67—68页。

变化，但其私有制结构没有变，国家的工具性质与腐败本质也没有发生变化。

二、对加强社会主义民主政治建设有重要启示意义

恩格斯在《法兰西内战》序言中提到，《法兰西内战》详细阐释了“这种打碎旧的国家政权而以新的真正民主的国家政权来代替的情形”①，这表明，《法兰西内战》中蕴含了马克思关于社会主义民主政治建设的基本构想，深刻理解其民主思想对于新时代推进中国特色社会主义民主政治建设具有重要启示意义。

马克思指出，“公社给共和国奠定了真正民主制度的基础”②。何为“真正的民主制度”？在资产阶级国家政权中，国家权力逐渐从社会抽离出来，独立于社会之上，并且成为奴役社会、统治社会的力量。为此，实现真正的民主制度就要求不仅要将凌驾于社会之上的力量重新收回到社会之中，由人民群众使用并管理这种力量，而且要让这种国家权力由过去压榨人民、奴役人民的力量变为一种服务广大人民群众、团结组织人民群众、“使社会充满生气”的力量，“公社——这是社会把国家政权重新收回，把它从统治社会、压制社会的力量变成社会本身的充满生气的力量；这是人民群众把国家政权重新收回，他们组成自己的力量去代替压迫他们的有组织的力量”③。实现这种真正的民主制度须要遵循三个原则：第一，实

---

① 恩格斯：《恩格斯写的1891年版导言》，马克思：《法兰西内战》，人民出版社2018年版，第15页。

② 马克思：《法兰西内战》，人民出版社2018年版，第63页。

③ 马克思：《法兰西内战》，人民出版社2018年版，第102页。

行普选制，保证人民的代表由人民群众挑选。人民群众共同掌握权力管理国家不可能依靠人民群众直接管理，而须要选举代表替代人民群众行使权力来管理国家，代表是否真正代表人民利益决定了权力是否真正取之于民、用之于民。因此，普选制对于民主是否能实现具有重要意义。巴黎公社以普选制替代了旧国家政权所奉行的等级授予制，并且强调这一普选制是在广大人民群众中选择服务人民的代表，而非在统治阶级中选择统治人民的领导，“普选权不是为了每三年或六年决定一次由统治阶级中什么人在议会里当人民的假代表，而是为了服务于组织在公社里的人民，正如个人选择权服务于任何一个为自己企业招雇工人和管理人员的雇主一样”[1]。换言之，普选制将过去仅仅局限在某些特殊阶级手中的私有物变为人人都可参与的职务，彻底消除“以为行政和政治管理是神秘的事情，是高不可攀的职务，只能委托给一个受过训练的特殊阶层”[2]的看法，从广大人民群众中选出人民的真正代表。第二，防止社会公仆变主人，保证人民的代表及政府官员是人民群众的勤务员。在公社，人民代表的角色定位是“社会公仆”“勤务员”。打碎旧的国家机器的无产阶级政权不再是统治阶级的暴力工具，其暴力统治职能不断弱化，社会管理职能不断增强，正是在这一意义上，马克思认为公社可以在地方上由中心城镇代表负责实行地方自治，国民代表会议“留待中央政府履行的为数不多但很重要的职能”[3]。因此，政权职能

① 马克思：《法兰西内战》，人民出版社 2018 年版，第 61 页。

② 马克思：《法兰西内战》，人民出版社 2018 年版，第 103 页。

③ 马克思：《法兰西内战》，人民出版社 2018 年版，第 61 页。

的变化决定了公社只能是一个“实干”机构，公职人员对人民群众负责，担任人民群众的“勤务员”与“社会公仆”。如何防止选出的“社会公仆”变为“社会主人”？公社采取了三项基本措施：一是把行政、司法和国民教育方面的一切职务交给由普选选出的人担任，并且规定选举者可以随时撤换被选举者。二是所有公职人员无论地位高低，都获取与其他工人一样的工资。采取低薪制从根本上消除了将国家公职作为升官发财平台的可能性，对于预防权力腐败有重要作用。三是实现劳动解放，保证人民群众拥有物质基础。马克思提出公社的秘密在于“它实质上是工人阶级的政府，是生产者阶级同占有者阶级斗争的产物，是终于发现的可以使劳动在经济上获得解放的政治形式”[①]。这里表明，经济上的劳动解放是公社民主政治的前提条件，所谓劳动解放就是，每个人都变成工人，生产劳动就不再是一种阶级属性。并且马克思强调：“如果没有最后这个条件，公社体制就没有存在的可能，就是欺人之谈。”[②]

我国的社会主义民主政治与巴黎公社所建立的真正的民主在价值取向上高度一致，即都强调人民当家作主。巴黎公社建构真正民主制的经验启示我们：一方面，新时代须要不断完善人民当家作主制度体系，为人民当家作主强化制度保障。巴黎公社昭示着普选制、罢免制等制度对维护民主的重要意义。人民当家作主不仅仅是一种价值导向，还是一种现实的国家治理形式，为此完善制度体系建设，将人民当家作主由价值导向变为现实的治理形式就显得尤为关键。新时代推

---

①② 马克思：《法兰西内战》，人民出版社2018年版，第63页。

进社会主义民主建设的核心议题应是坚持和完善人民当家作主制度体系，不断通过制度创新将权力取之于民、用之于民的价值导向落到实处。人民代表大会制度是人民当家作主制度体系中的重要组成部分，也是我国的根本政治制度。人民代表大会由人民群众选举产生，代表人民行使国家权力，从而在政治上和组织上保证人民当家作主，使国家的一切权力属于人民的基本原则得到充分落实，是我国人民群众行使国家权力的基本途径和方式，推进社会主义民主政治不能不坚持好、完善好、发展好人民当家作主制度。进入新时代，我国社会的阶层结构及各方利益格局发生重大变化，人民群众的利益诉求更加多元，群众的参与意识也更加强烈，为此人大要通过完善选举制度、优化代表结构和素质、自觉联系群众的手段和途径等方式切实搜集民意、反映民意，力图将民意提升为国家治理的导向，将权力变为服务人民群众的力量。与此同时，当前也要将完善基层民主制度作为重点任务。社会主义民主的核心原则是将国家权力归还给广大人民群众，这必然要求实现社会自治。对巴黎公社，马克思也提到了地方自治问题。实行社会自治要求社会自我管理、自我服务、自我教育、自我监督，这是从根本上激发广大基层群众的首创精神，提升创新能力，尊重人民群众在国家中的主人翁地位，是人民群众当家作主的另一种形式，正如党的十九大报告强调激发人民创造活力是发展社会主义民主政治的主要内容之一。目前，我国在探索社会治理的过程中提出了将社会管理转变为社会治理的工作思路，十九届四中全会也提出“坚持和完善共建共治共享的社会治理制度”。这表明，当前我们将建设人人有责、人人尽责、人人享有的社会共同体，把不断激发人民创造活力作为凸显人民主体地位的方向。我国的基层民主制度主要就是基层群众自治制度，为此，新时代须要通过基层民主制度创新不断完善群众自治制度、自治机制以及相应的组织体系，从而使自治形式和自治内容更加丰富。

知识链接

★ 人民代表大会制度 ★

人民代表大会制度是中国人民民主专政的政权组织形式，是中国的根本政治制度。人民代表大会制度是按照民主集中制原则，由人民选举代表组成人民代表大会作为国家权力机关，统一管理国家事务的政治制度，是我国人民当家作主的根本途径和最高实现形式。它直接体现我国人民民主专政的国家性质，是建立我国其他国家管理制度的基础，其既有利于保证国家权力体现人民的意志，又有利于保证中央和地方的国家权力的统一，还有利于保证我国各民族的平等和团结。

★ 十九届四中全会 ★

中国共产党第十九届中央委员会第四次全体会议（简称中共十九届四中全会），由中共中央政治局于2019年10月28日至31日在北京召开。会议审议通过了《中共中央关于坚持和完善中国特色社会主义制度、推进国家治理体系和治理能力现代化若干重大问题的决定》（以下简称《决定》）。《决定》深刻阐释了坚持和完善中国特色社会主义制度、推进国家治理体系和治理能力现代化的重大意义和总体要求，并对坚持和完善党的领导制度体系等13个方面作出战略部署。这是一次具有开创性和里程碑意义的重要会议,会议通过的决定,是坚持和完善中国特色社会主义制度、推进国家治理体系和治理能力现代化的政治宣言和行动纲领。

新时代须要不断推动社会主义市场经济发展,为人民当家作主奠定经济基础。马克思将巴黎公社理解为"终于发现的可以使劳动在经济上获得解放的政治形式"[①]。这里强调了民主的实质性与目的性两个问题。实质性问题是指社会主义民主应该追求实质民主。民主分为形式民主与实质民主,形式民主是资产阶级国家的通病,即仅仅以法律或制度形式赋予了人们民主权利,但却从经济上剥夺了这种民主权利实现的可能。例如西方国家的票选民主赋予了全体民众选举权,但私有制的所有制结构决定了资产阶级在选举中具有绝对话语权,他们可以利用资本操控选举来为自我服务,这样一来,全体民众的选举权就沦为一种形式民主。社会主义民主追求的应是一种实质民主,其关键是要推动社会经济发展,为人民群众当家作主提供经济保障。改革开放四十多年,中国经济在快速发展的同时也出现了发展不平衡问题,这种不平衡反映在整体层面是城乡、区域间的不平衡发展,反映在个体层面就是收入分配差距拉大,贫富两极分化。收入差距与贫富分化导致了人民群众在参政议政方面的素质、能力及意识等都存在较大差距,为此我国须要在新发展理念的指引下,集中解决城乡间、区域间等的发展不平衡问题,并进一步完善社会主

① 马克思:《法兰西内战》,人民出版社2018年版,第63页。

义市场经济制度，以社会主义制度优势纠偏市场经济负面效应，着力消除两极分化。如要消除市场中特权阶层垄断问题，实现分配公平、机会公平；不断巩固生产资料公有制，消灭某些将“公有制”企业变为事实上的“特权所有制”企业并利用国有企业资源牟取个人私利的现象；等等。这些都是为了让发展成果更公平地惠及全体人民。目的性问题是指推进社会主义民主建设的关键是要维护人民群众的根本利益，提升人民群众的生活质量，正如马克思所说：“无论廉价政府或‘真正共和国’，都不是它的终极目标，而只是它的伴生物。”[①]为此，在人民当家作主的目标指引下，我国要不断以经济发展增进民生福祉，做好普惠性、基础性、兜底性民生建设，在发展中解决问题，做到幼有所育、学有所教、劳有所得、病有所医、老有所养、住有所居、弱有所扶，不断满足人民美好生活的需要。

三、为推进国家治理体系和治理能力现代化提供了思想指引

国家治理的本质是建构秩序与规范来调控行为，建构秩序与调控行为的合法性与可能性均源于权力，因此治理问题是一种权力配置问题，国家治理模式的不同反映的也是一种权力配置方式的不同，正如巴黎公社作为帝国的直接对立物，其对立性表现为一种权力的变化。“公社——这是社会把国家政权重新收回，把它从统治社会、压制社会的力量变成社会本身的充满生气的力量；这是人民群众把国家政权重新收回，他

① 马克思：《法兰西内战》，人民出版社2018年版，第63页。

们组成自己的力量去代替压迫他们的有组织的力量;这是人民群众获得社会解放的政治形式,这种政治形式代替了被人民群众的敌人用来压迫他们的假托的社会力量(即被人民群众的压迫者所篡夺的力量)(原为人民群众自己的力量,但被组织起来反对和打击他们)。"[①]从巴黎公社与帝国的对立中,也可以看出资本主义与社会主义国家治理之间的价值导向差异。西方资本主义国家治理遵循资本逻辑。马克思曾提到资本不是一种静态的物,而是一种支配性权力。在资本主义社会,人成为资本增殖的工具,资本增殖成为一切发展的目的,因而国家最高权力事实上是掌握在资本手中,少数资产阶级无非是资本的代表。从资本逻辑的角度看社会,能够科学地理解整个资本主义社会的发展历程。资本的增殖迫切要求扩大市场,聚集廉价劳动力、原材料及财富,因此资本主义国家历史上的殖民行动、屠杀行动就是一种资本原始积累手段。当代西方国家不断被诟病的金钱政治、国家霸凌行径、经济独裁、消费主义以及新冠疫情防控中所提出的群体免疫方案等本质上也都是在维护资本增殖,满足少数资本家的利益。一切向"钱"看成为整个资本主义国家的发展原则,任何损害资本家利益的行为都会遭遇干涉,正如惠民的全民医保法案在美国始终不能被通过,其根源就在于这项方案损害了某些财团的利益。西方社会的困境,如周期性经济危机、贫富差距扩大、政治乱象、社会动荡等,都是资本逻辑的产物。有别于西方资本主义国家,我国根据马克思主义的基本原理提出了人

---

① 马克思:《法兰西内战》,人民出版社2018年版,第102—103页。

民至上的治理逻辑，使国家权力掌握在人民群众手中，权力为人民服务。进入新时代，我国提出国家治理体系和治理能力现代化的总目标。从权力配置的角度看，这里的现代化应该是一种权力的社会化。这种现代化的发展标志着国家权力逐渐由一种支配性的强制力转变为一种具有公共属性的管理能力，这种转变的过程实际上也就是权力社会化的过程。当前我国的一系列治理措施都是在推动权力社会化，如在经济领域，市场在资源配置中的作用从“基础性”变为“决定性”，使市场在资源配置中起决定性作用和更好地发挥政府的作用，以便建设服务型政府，最大限度地激发各类市场主体创业、创新活力。在政治领域，我国将协商民主作为人民民主的重要形式。“习近平总书记指出，保证和支持人民当家作主，通过依法选举、让人民的代表来参与国家生活和社会生活的管理是十分重要的，通过选举以外的制度和方式让人民参与国家生活和社会生活的管理也是十分重要的。人民只有投票的权利而没有广泛参与的权利，人民只有在投票时被唤醒、投票后就进入休眠期，这样的民主是形式主义的。与名为‘一人一票’实为‘少数人专政’的资本主义民主相比，社会主义协商民主是切实保障人民当家作主的制度安排，具有不可比拟的优越性和强大生命力。”[①]在社会领域，从社会“管”理到社会“治”理，其最大的变化就是要打破政府单向管理社会的格局，形成包含党政部门、社会组织以及群众的多元治理主体，这意味着群众与国家及社会之间的关系由被管理者与管理者的关系，转变为相互配

① 中共中央宣传部编：《习近平新时代中国特色社会主义思想三十讲》，学习出版社2018年版，第175页。

合的协同关系，公职人员成为服务人民的公仆，人民成为国家的主人。

新时代如何实现权力社会化？国家治理体系和治理能力是指在党领导下管理国家的制度体系和运用国家制度管理社会各方面事务的能力，可见制度建设是关键，即要建构制度机制消除权力异化，促进权力社会化。为此，要完善权力监督体系，使公职人员不敢腐、不想腐、不能腐。实现权力社会化要求简政放权，给予人民群众更大的发展空间，但官本位思想滋生、制度不健全等诸多因素导致现实生活中出现特权阶层、权力腐败等现象，部分领导干部滥用权力，使权力溢出了其应有的边界而成为一种高高在上的力量，这种权力由于被法律赋予了正当性而成为人民群众不可抗衡的力量，社会公仆也由此成为社会主人。巴黎公社采用监督制来防止社会公仆变主人，将公职人员的一切行为都置放在公众的监督之下，使之不能腐。我们可借鉴这一经验，努力构建以群众监督为核心的多层次、多元化的监督体系，包括党内监督、舆论监督、司法立法监督、行政监督体系，切实提升监督的效力，把“权力关进制度的笼子里”，让权力在阳光下运行。须要特别强调，权力社会化并非是要削弱党的领导地位，而是要创新党和国家与群众之间的关系，转变党的领导思路，改变政府职能，凸显人民群众的主体地位，激发其创造活力。巴黎公社的经验教训已经表明，缺乏党的集中统一领导必然导致社会主义革命的失败。为此，在新时代推进国家治理体系和治理能力现代化的进程中，必须高度重视党的集中统一领导，坚决维护习近平总书记党中央的核心、全党的核心地位，坚决维护党中央权威和集中统一领导。要不断提升党员干部“两个维护”的自觉性，引导党员干部在知行合一中践行“两个维护”。与此同时，创新国家治理思路还须要不断推进党的自我革命。勇于自我革命，从严管党治党，是我们党最鲜明的品格，中国共产党就是基于实践创新不断反思自我，永葆革命性与先进性的。这要求广大党员特别是领导干部也要进行思想革新，如重新认识干部与群众之间的关系、国家与社会之间的关系、权力的边界与意义等问题，并且要彻底改变落后的或错误的思想观念如形式主义、官僚主义、官本位思想、拜金主义、享乐主义等等，为此，须要不断完善党员理想信念教育机制，不忘初心、牢记使命，筑牢公仆意识，自觉抵制权力腐败，夺取全面建设社会主义现代化国家新胜利。

知识链接

★ 两个维护 ★

“两个维护”是十八大以来党的重大政治建设成果和宝贵经验，是党最根本的政治纪律和政治规矩，基本内涵是坚决维护习近平总书记党中央的核心、全党的核心地位，坚决维护党中央权威和集中统一领导。

★ 自我革命 ★

党的十八大以来，以习近平同志为核心的党中央高度重视党的自我革命。习近平总书记指出：“勇于自我革命，是我们党最鲜明的品格，也是我们党最大的优势。中国共产党的伟大不在于不犯错误，而在于从不讳疾忌医，敢于直面问题，勇于自我革命，具有极强的自我修复能力。”[①]党的自我革命动力来源于马克思主义无产阶级政党理论的指导，中国共产党人始终坚定理想信念、不忘初心使命的推动。自我革命是中国共产党顺应新时代、新任务、新形势的必然要求，是以党的建设新的伟大工程推动伟大斗争、伟大事业和伟大梦想的必然产物。

延伸阅读

（1）国务院新闻办公室编：《2020年美国侵犯人权报告：汉英对照》，五洲传播出版社2021年版。

（2）习近平：《习近平谈治国理政》第3卷，外文出版社2020年版。

（3）中共中央宣传部编：《习近平新时代中国特色社会主义思想三十讲》，学习出版社2018年版。

深度思考

（1）《法兰西内战》对于增强社会主义制度自信有何启示意义？

（2）《法兰西内战》对于新时代社会主义民主建设有何现实意义？

（3）《法兰西内战》对于推进国家治理体系和治理能力现代化有何重要意义？

① 习近平：《论坚持全面深化改革》，中央文献出版社2018年版，第325页。

后　记

《法兰西内战》是马克思受国际工人协会总委员会委托发表的一篇告全体会员的宣言，这部著作的宣言性质决定了其在内容上以史实介绍与经验描述为主，文本言简意赅，没有过多的哲学论断与过于琐碎的理论分析。正是这种风格导致这部著作不时遭受争议与质疑。如有人认为巴黎公社的革命经验随着时代及环境的变化过时了。还有人认为巴黎公社是革命时机尚未完全成熟的条件下，工人阶级偶然发起的一次城市自治尝试，内含的诸多革命及建设经验都带有空想性或非现实性，如取消常备军，取消官吏，实行议行合一，等等。这些质疑与争议提示我们，如果不能先行确立解读这部著作的方法论原则，就很难体会到其蕴含的巨大价值与意义。恩格斯曾在1872年的《共产党宣言》序言中提到，巴黎公社的现实经验一方面宣告《共产党宣言》中的某些结论已经过时，另一方面也印证了一般原理的正确性。换言之，在马克思主义的著作中始终包含在相当长时间中具有价值的一般原理与因时因地发生变化的具体结论，《法兰西内战》也是如此，既有永存的一般原则，又有巴黎公社所采取的具体措施。因此，在新时代解读《法兰西内战》时，须要注意两点：一是以辩证思维方式，厘清普遍的一般原则与特殊的具体经验。巴黎公社中的一般原则包括“工人阶级不能简单地掌握现成的国家机器，并运用它来达到自己的目的"①,"公社的真正秘密就在于:它实质上是工人阶级的政府,是生产者阶级同占有者阶级斗争的产物,是终于发现的可以使劳动在经济上获得解放的政治形式"②,等等,这些原则代表着科学社会主义的基本原则,故而须要我们在研读这部著作时全面深入理解。对于公社中的某些具体经验,我们也不能对其全盘否定,因为这些经验并非完全错误,其在适合的条件下就能由理想变为现实。正如列宁在谈到取消官吏这一举措时指出"要一下子、普遍地、彻底地取消官吏,是谈不到的。这是空想"③,这里强调的仅仅是这一举措在现实状况下的不适用性。二是要结合具体实践考察公社一般原则与具体经验的价值。借鉴公社经验指导实践最忌教条主义或本本主义,机械照搬公社的原则。我国在社会主义建设时期所遭遇的挫折已经证明教条主义的严重危害。为此,我们须要始终基于中国的现实背景考察公社一般原则在中国现阶段的表现形式,以及公社具体经验在中国现阶段的适用性。

遵循以上两点,本书尝试依靠原文逻辑厘清公社的一般原则与具体经验,并立足新时代背景挖掘这些原则与经验的当代价值。书中如有不当之处,敬请各位读者批判指正。书稿的创作得到了郝娜老师的大力协助,刘亚宁、张萌也参与了资料收集与部分初稿写作工作,在此特别说明一下并致谢意。

袁久红

2021年10月于南京

---

① 马克思:《法兰西内战》,人民出版社2018年版,第56页。

② 马克思:《法兰西内战》,人民出版社2018年版,第63页。

③ 列宁:《国家与革命》,人民出版社2015年版,第50页。